Zwei Frauen, die auf einer Insel ein Spiel spielen, das ›sich so ein Leben vorstellen‹ heißt. Ein Premierenfest, das ein unerwartetes, frühmorgendliches Ende in der Wohnung des Regisseurs findet. Ein Mann, der in seinem Sommerhaus an der Oder Besuch erhält und an eine Vergangenheit erinnert wird, die er nicht mehr kennen will. Judith Hermanns Figuren inszenieren sich ihr Leben, sie lassen sich nur passiv oder als Zuschauer, nur spielerisch in ›Lebensläufe‹ ziehen. Es ist Judith Hermanns Gespür für die Zwischentöne und die subtilen Unaufrichtigkeiten der Gegenwart, das ihre Geschichte so eindrucksvoll macht. Ihre Erzählungen leben vom genau abgewogenen Rhythmus der Sätze und von der Intensität und Dichte der Stimmungen, die sie zu erzeugen vermag.

Die Gedanken von Judith Hermanns Helden und Heldinnen kreisen immer wieder um dieselben Themen: um Liebe und Vergänglichkeit und die Angst vor dem ungelebten, dem verhinderten Leben. Die Enkelin, die von ihrer ans Bett gefesselten Großmutter erzählt, der alte Mann, der in einer New Yorker Absteige einer jungen Reisenden begegnet – sie spüren, wie die Zeit an ihnen vorübergezogen ist. Alle aber ahnen, daß sich ihr Leben nicht in der Gegenwart, sondern in der Erinnerung und in der Vorstellung zuträgt, daß Liebe und Vergänglichkeit letztlich zwei Worte für dasselbe sind.

Judith Hermann, 1970 in Berlin geboren, lebt als Journalistin und freie Schriftstellerin in Berlin. 1998 erschien ihr erstes Buch, *Sommerhaus, später,* dem eine außergewöhnliche Resonanz zuteil wurde und für das sie mit dem Hugo-Ball-Förderpreis, dem Bremer Literaturförderpreis sowie dem Kleist-Preis ausgezeichnet wurde. 2003 erschien im S. Fischer Verlag ihr Erzählungsband *Nichts als Gespenster,* der auch als Taschenbuch lieferbar ist und verfilmt wurde; *Nichts als Gespenster* kam Ende 2007 in die deutschen Kinos.

Unsere Adresse im Internet: www.fischerverlage.de

Judith Hermann

Sommerhaus, später

Erzählungen

Fischer Taschenbuch Verlag

12. Auflage: Februar 2008

Veröffentlicht im Fischer Taschenbuch Verlag,
einem Unternehmen der S. Fischer Verlag GmbH,
Frankfurt am Main, Mai 2000

© S. Fischer Verlag GmbH, Frankfurt am Main 1998
Druck und Bindung: CPI – Clausen & Bosse, Leck
Printed in Germany
ISBN 978-3-596-14770-0

Für F. M. und M. M.

The doctor says, I'll be alright
but I'm feelin blue

Tom Waits

Inhalt

Rote Korallen

Mein erster und einziger Besuch bei einem Therapeuten kostete mich das rote Korallenarmband und meinen Geliebten.

Das rote Korallenarmband kam aus Rußland. Es kam, genauer gesagt, aus Petersburg, es war über hundert Jahre alt, meine Urgroßmutter hatte es ums linke Handgelenk getragen, meinen Urgroßvater hatte es ums Leben gebracht. Ist das die Geschichte, die ich erzählen will? Ich bin nicht sicher. Nicht wirklich sicher:

Meine Urgroßmutter war schön. Sie kam mit meinem Urgroßvater nach Rußland, weil mein Urgroßvater dort Öfen baute für das russische Volk. Mein Urgroßvater nahm eine große Wohnung für meine Urgroßmutter auf der Petersburger Insel Wassilij Ostrow. Die Insel Wassilij Ostrow wird umspült von der kleinen und von der großen Newa, und wenn meine Urgroßmutter sich in der Wohnung auf dem Malyj-Prospekt auf ihre Zehenspitzen gestellt und aus dem Fenster geschaut hätte, so hätte sie den Fluß sehen können und die große Kronstädter Bucht. Meine Urgroßmutter aber wollte den Fluß nicht sehen und nicht die Kronstädter Bucht und nicht die hohen, schönen Häuser des Malyj-Prospekts. Meine Urgroßmutter wollte nicht aus dem Fenster hinaussehen in eine Fremde. Sie zog die schweren, roten samtenen Vorhänge zu und schloß die Türen, die Teppiche verschluckten jeden Laut, und meine Urgroßmutter saß auf den Sofas, den Sesseln, den Himmelbetten herum und wiegte sich vor und zurück und hatte Heimweh nach Deutschland. Das Licht in der großen Wohnung auf dem Malyj-Prospekt war ein Dämmerlicht, es war ein Licht wie auf dem Grunde des Meeres, und meine Urgroßmutter mag gedacht haben, daß die Fremde, daß Petersburg, daß ganz Rußland nichts sei als ein tiefer, dämmeriger Traum, aus dem sie bald erwachen werde.

Mein Urgroßvater aber reiste durchs Land und baute Öfen für das russische Volk. Er baute Schachtöfen und Röstöfen und Flammöfen und Fortschaufelungsöfen und Livermooreöfen. Er blieb sehr lange fort. Er schrieb Briefe an meine Urgroßmutter, und wenn diese Briefe kamen, zog meine Urgroßmutter die schweren, roten samtenen Vorhänge an den Fenstern ein wenig zurück und las in einem schmalen Spalt von Tageslicht:

Ich will dir erklären, daß der Hasenclever-Ofen, den wir hier bauen, aus Muffeln besteht, die durch vertikale Kanäle miteinander verbunden sind und durch die Flamme einer Rostfeuerung erhitzt werden – du erinnerst dich an den Gefäßofen, den ich in der Blomeschen Wildnis in Holstein baute und der dir doch damals ganz besonders gefallen hat – nun, auch bei dem Hasenclever-Ofen wird das Erz durch die Öffnungen in die oberste Muffel gebracht und …

Meine Urgroßmutter machte das Lesen dieser Briefe sehr müde. Sie konnte sich nicht mehr an den Gefäßofen in der Blomeschen Wildnis erinnern, aber sie konnte sich an die Blomesche Wildnis erinnern, an die Weiden und an das flache Land, an die Heuballen auf den Feldern und den Geschmack von süßem, kaltem Apfelmost im Sommer. Sie ließ das Zimmer zurücktauchen ins Dämmerlicht und legte sich müde auf eines der Sofas, sie sagte: »Blomesche Wildnis, Blomesche Wildnis«, es klang wie ein Kinderlied, es klang wie ein Schlaflied, es klang schön.

Auf der Petersburger Insel Wassilij Ostrow lebten in diesen Jahren neben den ausländischen Kaufmännern und ihren Familien auch viele russische Künstler und Gelehrte. Es blieb nicht aus, daß diese von der Deutschen hörten, der Schönen, Blassen mit dem hellen Haar, die dort oben im Malyj-Prospekt wohnen sollte, fast immer allein und in Zimmern, so dunkel, weich und kühl wie das Meer. Die Künstler und die Gelehrten wurden vorstellig. Meine Urgroßmutter winkte sie mit müder, schmaler Hand herein, sie sprach wenig, sie verstand kaum etwas, sie schaute unter schweren Lidern langsam und verträumt. Die Künstler und die Gelehrten nahmen Platz auf den tiefen, weichen Sofas und Sesseln, sie sanken ein in die schweren und dunklen Stoffe, die Hausmädchen brachten schwarzen, zimtigen Tee und Konfitüre aus Heidelbeeren und Brombeeren. Meine Urgroßmutter wärmte sich die kalten Hände am Samowar und war viel zu müde, um die Künstler und die Gelehrten wieder hinauszubitten. Und so blieben sie. Und sie betrachteten meine Urgroßmutter, und meine Urgroßmutter verschmolz mit dem Dämmerlicht zu etwas Traurigem, Schönem, Fremdem. Und da Traurigkeit und Schönheit und Fremdheit die Grundzüge der russischen Seele sind, verliebten sich die Künstler und die Gelehrten in meine Urgroßmutter, und meine Urgroßmutter ließ sich von ihnen lieben.

Mein Urgroßvater blieb sehr lange fort. Meine Urgroßmutter ließ sich also lange lieben, sie tat das vorsichtig und umsichtig, sie beging kaum einen Fehler. Sie wärmte ihre kalten Hände am Samowar und ihre fröstelnde Seele an den glühenden Herzen ihrer Liebhaber, sie lernte aus der fremden, weichen Sprache die Worte heraushören: »Du zarteste aller Birken.« Sie las die Briefe über die Schmelzöfen, die Devillschen Öfen, die Röhrenöfen im schmalen Spalt des Tageslichts und verbrannte sie allesamt im Kamin. Sie ließ sich lieben, sie sang am Abend vor dem Einschlafen das Lied von der Blomeschen Wildnis vor sich hin, und wenn ihre Liebhaber sie fragend ansahen, dann lächelte sie und schwieg.

Mein Urgroßvater versprach, bald zurückzukommen, bald mit ihr zurückzukehren nach Deutschland. Aber er kam nicht.

Der erste und der zweite und der dritte Petersburger Winter verging, und noch immer war mein Urgroßvater in der russischen Weite mit dem Bauen der Öfen beschäftigt, und noch immer wartete meine Urgroßmutter darauf, daß sie heimkehren konnte, nach Deutschland. Sie schrieb ihm in die Taiga. Er schrieb zurück, er käme bald, er müßte dann nur noch einmal fort, nur noch ein letztes Mal – aber dann, aber dann, er verspräche, könnten sie reisen.

Am Abend seiner Ankunft saß meine Urgroßmutter vor dem Spiegel in ihrem Schlafzimmer und kämmte sich ihr helles Haar. In einem Kästchen vor dem Spiegel lagen die Geschenke ihrer Liebhaber, die Brosche von Grigorij, der Ring von Nikita, die Perlen und Samtbänder von Alexej, die Locken von Jemeljan, die Medaillons, die Amulette und Silberreife von Michail und Ilja. In dem Kästchen lag auch das rote Korallenarmband von Nikolaij Sergejewitsch. Seine sechshundertfünfundsiebzig kleinen Korallen waren auf einem Seidenfaden aufgereiht, und sie leuchteten rot wie die Wut. Meine Urgroßmutter legte die Haarbürste in ihren Schoß. Sie schloß sehr lange die Augen. Sie machte die Augen wieder auf, nahm das rote Korallenarmband aus dem Kästchen heraus und band es sich um ihr linkes Handgelenk. Ihre Haut war sehr weiß.

An diesem Abend aß sie mit meinem Urgroßvater zum ersten Mal seit drei Jahren. Mein Urgroßvater redete russisch und lächelte meine Urgroßmutter an. Meine Urgroßmutter faltete die Hände im Schoß und lächelte zurück. Mein Urgroßvater redete über die Steppe, über die Wildnis, über die hellen, russischen Nächte, er redete über die Öfen und nannte ihre deutschen Namen, und dann nickte meine Urgroßmutter, als hätte sie verstanden. Mein Urgroßvater sagte auf russisch, er müsse noch einmal nach Wladiwostok fahren, er aß die Pelmeni mit den Händen, während er das sagte, er wischte sich mit den Händen das Fett vom Mund, er sagte, Wladiwostok sei die letzte Station, dann wäre es Zeit, zurückzugehen, nach Deutschland. Oder wolle sie noch bleiben?

Meine Urgroßmutter verstand ihn nicht. Aber sie verstand das Wort Wladiwostok. Und sie legte ihre Hände auf den Tisch, und das Korallenarmband leuchtete rot wie die Wut an ihrem linken, weißen Handgelenk.

Mein Urgroßvater starrte auf das Korallenarmband. Er legte den Rest seiner Pelmeni auf den Teller zurück, wischte sich die Hände an der Leinenserviette ab und winkte das Hausmädchen aus dem Zimmer. Er sagte auf deutsch: »Was ist das.«

Meine Urgroßmutter sagte: »Ein Armband.«

Mein Urgroßvater sagte: »Und woher hast du das, wenn ich fragen darf?«

Meine Urgroßmutter sagte sehr leise und weich: »Ich wünschte überhaupt, du hättest je gefragt. Es ist ein Geschenk von Nikolaij Sergejewitsch.«

Mein Urgroßvater rief das Hausmädchen wieder herein und schickte es nach seinem Freund Isaak Baruw. Isaak Baruw kam, er war bucklig und krumm, er sah verschlafen und verwirrt aus, es war schon spät in der Nacht, und er strich sich immer wieder verlegen durch das ungekämmte Haar. Mein Urgroßvater und Isaak Baruw liefen erregt und diskutierend durchs Zimmer, Isaak Baruw sprach vergebens beruhigende Worte, Worte, die meine Urgroßmutter an ihre Liebhaber erinnerten. Meine Urgroßmutter sank erschöpft in einen der weichen Sessel und legte die kalten Hände an den Samowar. Mein Urgroßvater und Isaak Baruw sprachen russisch, meine Urgroßmutter verstand nicht viel mehr als die Worte Sekundant und Petrowskij-Park. Das Hausmädchen wurde mit einem Brief hinaus in die Dunkelheit geschickt. Als der Morgen graute, verließen mein Urgroßvater und Isaak Baruw das Haus. Meine Urgroßmutter auf dem weichen Sessel war eingeschlafen, ihre schmale Hand mit dem roten Korallenarmband am Handgelenk hing matt von der Lehne herunter; im Zimmer war es so dunkel und still wie auf dem Grund des Meeres.

Isaak Baruw kam gegen Mittag zurück und teilte meiner Urgroßmutter unter vielerlei Kratzfüßen und Beileidsbezeugungen mit, daß mein Urgroßvater um acht Uhr in der Frühe verstorben sei. Nikolaij Sergejewitsch hatte ihn auf der Anhöhe des Petrowskij-Parks mitten ins Herz geschossen.

Meine Urgroßmutter wartete sieben Monate lang. Dann brachte sie am 20. Januar des Jahres 1905, in den ersten Tagen der Revolution, meine Großmutter zur Welt, packte ihre Koffer und kehrte nach Deutschland zurück. Ihr Zug nach Berlin sollte der letzte sein, der Petersburg verließ, bevor die Eisenbahner in den Streik traten und der Verkehr Rußlands mit dem Ausland eingestellt wurde. Als sich die Türen schlossen und die Lokomotive ihren weißen Rauch in die Winterluft blies, erschien am fernen Ende des Perrons die bucklige, krumme Gestalt Isaak Baruws. Meine Urgroßmutter sah ihn kommen, sie befahl dem Schaffner zu warten, und so erklomm Isaak Baruw in letzter Sekunde den deutschen Zug. Er begleitete meine Urgroßmutter auf der langen Reise nach Berlin, er trug ihre Koffer und Hutschachteln und Handtaschen, und er versäumte nicht, ihr seine lebenslange Dankbarkeit immer und immer wieder zu versichern. Meine Urgroßmutter lächelte ihn beruhigend an und schwieg; sie trug das rote Korallenarmband an ihrem linken Handgelenk, und meine winzige Großmutter im Weidenkorb ähnelte schon damals dem Nikolaij Sergejewitsch mehr als meinem Urgroßvater.

Mein erster und einziger Besuch bei einem Therapeuten kostete mich das rote Korallenarmband und meinen Geliebten.

Mein Geliebter war zehn Jahre älter als ich, und er war wie ein Fisch. Er hatte fischgraue Augen und eine fischgraue

Haut, er war wie ein toter Fisch, er lag den ganzen Tag auf seinem Bett, kalt und stumm, es ging ihm sehr schlecht, er lag auf dem Bett herum und sagte, wenn überhaupt, nur diesen einen Satz: »Ich interessiere mich nicht für mich selbst.« Ist das die Geschichte, die ich erzählen will?

Ich weiß es nicht. Ich weiß es nicht wirklich:

Mein Geliebter war der Urenkel von Isaak Baruw, und in seinen dünnen Adern floß russisch-deutsches Blut. Isaak Baruw war meiner Urgroßmutter sein Leben lang treu geblieben, aber geheiratet hatte er ihr pommersches Zimmermädchen. Er zeugte mit ihr sieben Kinder, und diese sieben Kinder schenkten ihm sieben Enkelkinder, und eines dieser Enkelkinder schenkte ihm seinen einzigen Urenkel – meinen Geliebten. Die Eltern meines Geliebten ertranken im Sommersturm auf einem See, und meine Urgroßmutter wies mich an, auf ihre Beerdigung zu gehen – die letzten Zeugen der Petersburger Vergangenheit würden da in die brandenburgische Erde gesenkt und mit ihnen die Geschichten, über die sie selbst nicht mehr sprechen wollte. Und also ging ich auf die Beerdigung von Isaak Baruws Enkel und seiner Frau, und an deren Grab stand mein Geliebter und weinte drei graue Tränen. Ich nahm seine kalte Hand in meine, und als er nach Hause ging, ging ich mit ihm; ich dachte, ich könne ihn trösten mit den Petersburger Geschichten, ich dachte, er könne sie mir erzählen, noch einmal neu.

Aber mein Geliebter sprach nicht. Und er wollte nichts hören, und er wußte auch gar nichts von dem Wintermorgen im Jahr 1905, an dem meine Urgroßmutter den Zug angehalten hatte, damit sein Urgroßvater fliehen konnte, in letzter Sekunde. Mein Geliebter lag also auf seinem Bett herum und sagte, wenn überhaupt, nur diesen einen Satz: »Ich interessiere mich nicht für mich selbst.« Sein Zimmer war kalt und staubig, es ging auf den Friedhof hinaus, auf dem Friedhof läuteten immerzu die Totenglöckchen. Wenn ich mich auf die Zehenspitzen stellte und aus dem Fenster schaute, konnte ich die frisch ausgehobenen Gräber sehen, die Nelkensträuße und die Trauernden. Ich saß oft in einer Ecke des Zimmers auf dem Boden, ich hatte die Knie an den Körper gezogen und pustete sachte die Staubflocken durch den Raum; ich fand es erstaunlich, sich nicht für sich selbst zu interessieren. Ich interessierte mich ausschließlich für mich selbst. Ich betrachtete meinen Geliebten, mein Geliebter betrachtete seinen Körper, als wäre er schon tot, manchmal liebten wir uns feindselig, und ich biß ihn in seinen salzigen Mund. Ich hatte das Gefühl, als sei ich dünn und mager, obgleich ich das nicht war, ich konnte so tun, als sei ich nicht ich selbst. Das Licht fiel grün durch die Bäume vor dem Fenster, es war ein wässeriges Licht, ein Licht wie es an Seen ist, und die Staubflocken trieben durch das Zimmer wie die Algen und der Tang.

Mein Geliebter war traurig. Ich fragte ihn teilnahmsvoll, ob ich ihm nicht eine kleine, russische Geschichte erzählen sollte, und mein Geliebter antwortete rätselhaft, die Geschichten seien vorbei, er wolle sie nicht hören, und überhaupt solle ich meine eigene Geschichte nicht mit anderen Geschichten verwechseln. Ich fragte: »Hast du denn eine eigene Geschichte?«, und mein Geliebter sagte nein, er habe keine. Aber er ging zweimal in der Woche zu einem Arzt, einem Therapeuten. Er verbot mir, ihn zu begleiten, er weigerte sich, mir etwas über den Therapeuten zu erzählen, er sagte: »Ich spreche über mich. Das ist alles«, und als ich ihn fragte, ob er darüber sprechen würde, daß er sich nicht für sich selbst interessiere, sah er mich voll Verachtung an und schwieg.

Mein Geliebter schwieg also oder sagte diesen Satz, ich schwieg auch und begann über den Therapeuten nachzudenken, mein Gesicht war immer ebenso staubig wie meine nackten Fußsohlen. Ich stellte mir vor, im Zimmer des Therapeuten zu sitzen und über mich zu sprechen. Ich hatte keine Vorstellung davon, worüber ich sprechen sollte. Ich hatte, seitdem ich bei meinem Geliebten war, schon lange nicht mehr wirklich gesprochen, ich sprach kaum mit ihm, und er sprach so gut wie nie mit mir, immer nur sagte er diesen einen Satz, und es gab Augenblicke, in denen ich dachte, die Sprache bestehe einzig und allein aus diesen sieben Worten: Ich interessiere mich nicht für mich selbst.

Ich begann, sehr viel über den Therapeuten nachzudenken. Ich dachte nur an dieses Sprechen in seinem unbekannten Zimmer, und das war angenehm. Ich war zwanzig Jahre alt, ich hatte nichts zu tun, ich trug das rote Korallenarmband an meinem linken Handgelenk. Ich kannte die Geschichte meiner Urgroßmutter, ich konnte im Geist durch die dunkle, dämmerige Wohnung am Malyj-Prospekt gehen, ich hatte den Nikolai Sergejewitsch in den Augen meiner Großmutter gesehen. Die Vergangenheit war so dicht mit mir verwoben, daß sie mir manchmal wie mein eigenes Leben erschien. Die Geschichte meiner Urgroßmutter war meine Geschichte. Aber wo war meine Geschichte ohne meine Urgroßmutter? Ich wußte es nicht.

Die Tage waren still und wie unter dem Wasser. Ich saß im Zimmer meines Geliebten, und der Staub webte sich um meine Fußgelenke herum, ich saß, die Knie an den Körper gezogen, den Kopf auf den Knien, ich malte mit dem Zeigefinger Zeichen auf den grauen Fußboden, ich war gedankenverloren in ich weiß nicht was, so gingen Jahre, schien es, ich trieb so fort. Konnte ich darüber sprechen? Von Zeit zu Zeit kam meine Urgroßmutter und klopfte mit knochiger Hand an die Wohnungstür, sie rief, ich solle herauskommen und mit ihr nach Hause gehen, ihre Stimme kam durch den Staub, der die Tür umsponnen hatte, wie aus weiter Ferne. Ich bewegte mich nicht und antwortete ihr nicht, auch mein Geliebter lag auf seinem Bett und starrte mit toten Augen an die Decke, ohne sich zu rühren. Meine Urgroßmutter rief und lockte mich mit den Kosenamen meiner Kindheit – Liebherzelein, Nußbäumelein, Herzäugelein –, sie tickte mit ihrer knochigen Hand beharrlich und zäh an die Tür, und erst als ich triumphierend rief: »Du hast mich zu ihm geschickt, jetzt mußt du warten, bis es zu Ende ist!«, da ging sie wieder.

Ich hörte ihren Schritt auf den Treppen immer leiser werden, die Staubflocken an der Tür, die durch ihr Klopfen in Bewegung geraten waren, beruhigten sich und falteten sich zu einem dichten Flaum zusammen. Ich sah meinen Geliebten an und sagte: »Möchtest du nicht doch die Geschichte vom roten Korallenarmband hören?«

Mein Geliebter wandte sich auf dem Bett liegend mit zerquältem Gesicht zu mir herum. Er streckte die fischgrauen Hände von sich und spreizte langsam die Finger, seine fischgrauen Augen traten ein wenig aus ihren Höhlen hervor. Die Stille des Zimmers zitterte wie die Oberfläche eines Sees, in den man einen Stein geworfen hat. Ich zeigte meinem Geliebten meinen Arm und die roten Korallen an meinem Handgelenk, mein Geliebter sagte: »Diese kommen aus der Familie der Rindenkorallen. Sie bilden ein Stämmchen, das bis zu einem Meter hoch werden kann, und sie haben ein rotes Skelett aus Kalk. Kalk.«

Mein Geliebter stieß beim Sprechen mit der Zunge an, er sprach schwerfällig und lallend, als sei er betrunken. Er sagte: »Sie wachsen an den Küsten von Sardinien und Sizilien. In Tripolis, Tunis und Algerien. Dort, wo das Meer so blau ist wie ein Türkis, sehr tief, man kann schwimmen und tauchen, und das Wasser ist warm…« Er drehte sich wieder von mir weg und seufzte tief, er trat mit den Füßen zweimal gegen die Wand, dann lag er still.

Ich sagte: »Ich will die Geschichten erzählen, hörst du! Die Petersburger Geschichten, die alten Geschichten, ich will sie erzählen, um aus ihnen hinaus, und fortgehen zu können.«

Mein Geliebter sagte: »Ich will sie nicht hören.«

Ich sagte: »Dann werde ich sie deinem Therapeuten erzählen«, und mein Geliebter richtete sich auf, er atmete so heftig ein, daß einige Staubflocken in einem kleinen Strom in seinem aufgerissenen Mund verschwanden, er sagte: »Du wirst meinem Therapeuten überhaupt nichts erzählen, geh zu irgendwem, aber nicht zu meinem Therapeuten«, er hustete und schlug sich auf die nackte, graue Brust, ich mußte lachen, denn nie zuvor hatte mein Geliebter so viel hintereinander gesprochen. Er sagte: »Du wirst nicht mit jemandem über mich sprechen, mit dem auch ich über mich spreche, das ist nicht möglich«, und ich sagte: »Ich will nicht über dich sprechen, ich will die Geschichte erzählen, und meine Geschichte ist auch deine Geschichte.« Wirklich, wir kämpften miteinander. Mein Geliebter drohte, mich zu verlassen, er hielt mich fest und zog an meinen Haaren, er biß mich in die Hand und kratzte, ein Wind ging durchs Zimmer, die Fenster sprangen auf, die Totenglöckchen auf dem Friedhof läuteten wie rasend, und die Staubflocken trieben hinaus wie Seifenblasen. Ich stieß meinen Geliebten von mir und riß die Tür auf, ich fühlte mich wirklich so dünn und mager; als ich ging, konnte ich die Staubflocken sachte zu Boden sinken hören, stand mein Geliebter stumm an seinem Bett, mit seinen fischgrauen Augen und seiner fischgrauen Haut.

Der Therapeut, wegen dem ich das rote Korallenarmband und meinen Geliebten verlor, saß in einem großen Zimmer hinter seinem Schreibtisch. Das Zimmer war wirklich sehr groß, es war fast leer, bis auf diesen Schreibtisch, den Therapeuten dahinter und einen kleinen Stuhl davor. Auf dem Boden des Zimmers lag ein weicher, meerblauer, tiefblauer Teppich. Der Therapeut sah mich ernst und gerade an, als ich sein Zimmer betrat. Ich lief auf ihn zu, ich hatte das Gefühl, ich müsse sehr lange auf ihn zu laufen, bis ich endlich diesen Stuhl vor seinem Schreibtisch erreicht hatte. Ich dachte daran, daß auf diesem Stuhl sonst immer mein Geliebter gesessen und über sich – über was? – gesprochen hatte, ich spürte eine winzige Traurigkeit. Ich setzte mich. Der Therapeut nickte mir zu, ich nickte auch und starrte ihn an, ich wartete auf den Anfang, auf den Beginn der Unterhaltung, auf seine erste Frage. Der Therapeut starrte zurück, bis ich meinen Blick senkte, aber er sagte nichts. Er schwieg. Sein Schweigen erinnerte mich an etwas. Es war sehr still. Irgendwo tickte eine Uhr, die ich nicht sehen konnte, ums hohe Haus webte der Wind, ich schaute auf den meerblauen, tiefblauen Teppich zwischen meinen Füßen und zog nervös und unsicher an dem Seidenfaden des roten Korallenarmbandes. Der Therapeut seufzte. Ich hob den Kopf, er tippte mit der nadelspitzen Mine seines Bleistiftes auf die glänzende Schreibtischplatte, ich lächelte verlegen, er sagte: »Worum geht es Ihnen denn.«

Ich atmete ein, ich hob die Hände und ließ sie wieder sinken, ich wollte sagen, ich interessiere mich nicht für mich selbst, ich dachte, das ist eine Lüge, ich interessiere mich ausschließlich für mich selbst, und ist es das? daß da nämlich gar nichts ist? nur die Müdigkeit und die leeren, stillen Tage, ein Leben wie das der Fische unter Wasser und ein Lachen ohne Grund? ich wollte sagen, ich habe zu viele Geschichten in mir, die machen mir das Leben schwer, ich dachte, da hätte ich ja auch bei meinem Geliebten bleiben können, ich atmete ein, und der Therapeut riß Mund und Augen auf, und ich zog am Seidenfaden des roten Korallenarmbandes und der Seidenfaden riß und die sechshundertfünfundsiebzig wutroten kleinen Korallen platzten in einer funkelnden Pracht von meinem dünnen und mageren Handgelenk.

Ich starrte mein Handgelenk an, fassungslos, das Handgelenk war weiß und nackt. Ich starrte den Therapeuten an, der Therapeut hatte sich in seinem Stuhl zurückgelehnt, der Bleistift lag jetzt parallel zur Schreibtischkante vor ihm, er hatte die Hände im Schoß gefaltet. Ich schlug die Hände vor mein Gesicht. Ich rutschte vom Stuhl hinunter auf den meerblauen, tiefblauen Teppich, die sechshundertfünfundsiebzig Korallen lagen über das ganze Zimmer versprengt. Sie leuchteten so wutrot wie nie, ich kroch auf dem Boden umher und sammelte sie auf, sie lagen unter dem Schreibtisch, unter der Fußspitze des Therapeuten, er zog den Fuß ein winzigbißchen zurück, als ich ihn berührte, unter dem Schreibtisch war es dunkel, aber die roten Korallen leuchteten.

Ich dachte an Nikolaij Sergejewitsch, ich dachte, hätte er meiner Urgroßmutter die roten Korallen nicht geschenkt, hätte er meinen Urgroßvater nicht mitten ins Herz geschossen. Ich dachte an den buckligen, krummen Isaak Baruw, ich dachte, hätte er Rußland nicht verlassen, hätte meine Urgroßmutter nicht seinetwegen den Zug angehalten. Ich dachte an meinen Geliebten, den Fisch, ich dachte, hätte er nicht immer geschwiegen, müßte ich jetzt nicht unter dem Schreibtisch eines Therapeuten herumkriechen; ich sah die Hosenbeine des Therapeuten, seine gefalteten Hände, ich konnte ihn riechen, ich stieß mir den Kopf an der Schreibtischplatte. Ich sammelte die roten Korallen unter dem Schreibtisch ein, ich kroch wieder ans Licht und weiter durchs Zimmer, ich hob die Korallen mit der rechten Hand auf und sammelte sie in der linken, ich begann zu weinen. Ich kniete auf dem weichen, meerblauen, tiefblauen Teppich, ich sah den Therapeuten an, der Therapeut sah mich an, von seinem Stuhl aus, mit den gefalteten Händen. Meine linke Hand war voller Korallen, aber noch immer leuchteten und blinkten sie um mich herum, ich dachte, ich bräuchte mein ganzes Leben, um all diese Korallen wieder aufzuheben, ich dachte, es würde mir doch niemals gelingen, mein Leben lang nicht. Ich stand auf. Der Therapeut beugte sich vor, nahm den Bleistift vom Schreibtisch und sagte: »Die Sitzung ist für heute beendet.«

Ich schüttete die roten Korallen von der linken in die rechte Hand, sie machten ein schönes, zärtliches Geräusch, fast wie ein kleines Gelächter. Ich hob die rechte Hand und schleuderte die roten Korallen auf den Therapeuten. Der Therapeut duckte sich. Die roten Korallen prasselten auf seinen Schreibtisch, und mit ihnen prasselte ganz Petersburg, die große und die kleine Newa, die Urgroßmutter, Isaak Baruw und Nikolaij Sergejewitsch, die Großmutter im Weidenkorb und der Geliebte der Fisch, die Wolga, die Luga, die Narowa, das Schwarze Meer und das Kaspische Meer und die Ägais, der Golf, der Atlantische Ozean.

Das Wasser der Weltmeere wogte in einer großen, grünen Welle über den Schreibtisch des Therapeuten und riß ihn vom Stuhl, es stieg schnell höher und trug den Schreibtisch empor, aus seinen Wellenkämmen stieg noch einmal das Therapeutengesicht auf, dann verschwand es, das Wasser rauschte, brandete, sang und stieg und schwemmte die Geschichten mit sich fort, die Stille und die Korallen, schwemmte sie zurück in die Tangwälder, in die Muschelbänke, an den Meeresgrund. Ich holte Luft.

Ich ging noch einmal nach meinem Geliebten sehen. Der trieb, ich wußte das, mit dem bleichen Bauch nach oben auf dem wassernassen Bett. Das Licht war so grau, wie es das Licht auf dem Grund eines Sees ist, in seinem Haar hatten sich die Staubflocken verfangen, sie zitterten sachte. Ich sagte: »Du weißt, daß die Korallen schwarz werden, wenn sie zu lange auf dem Meeresgrund liegen«, ich sagte: »War das die Geschichte, die ich erzählen wollte«, aber mein Geliebter konnte mich nicht mehr hören.

Hurrikan
(Something farewell)

Das Spiel heißt »Sich-so-ein-Leben-vorstellen«. Man kann es spielen, wenn man auf der Insel abends bei Brenton sitzt, man sollte zwei, drei Zigaretten rauchen und Rum-Cola trinken. Gut ist es, ein kleines, schlafendes Inselkind auf dem Schoß zu haben, dessen Haar nach Sand riecht. Auch der Himmel müßte hoch sein, am besten sternenklar, es sollte sehr heiß sein, vielleicht auch schwül. Das Spiel heißt »Sich-so-ein-Leben-vorstellen«, es hat keine Regeln.

»Stell dir vor«, sagt Nora. »Stell dir vor.«

Im Radio kommen die Hurrikanmeldungen vier Mal am Tag. Kaspar sagt, es sei erst dann kritisch, wenn stündlich über den Hurrikan berichtet werde. Die Inselbewohner würden aufgefordert, sich in spezielle Schutzzonen zu begeben, Deutsche könnten sich von der Botschaft in die Vereinigten Staaten fliegen lassen. Kaspar sagt sehr entschlossen: »Ich verlasse die Insel nicht.« Er will bleiben, er rechnet damit, daß ganz Stony und Snow Hill bei ihm Zuflucht suchen werden. Die Insel liegt im Tiefdruckgebiet der tropischen Depression. Nora und Christine sitzen auf den sonnentrockenen Holzdielen der Veranda und sprechen das andächtig vor sich hin –

»Tropische Depression, tropische …«

Es ist unerträglich heiß. Über den Blue Mountains bewegungslos dicke und weiße Wolken. Der Hurrikan, von den Meteorologen »Berta« genannt, bläht sich weit entfernt über der Karibik auf, auch er bewegt sich nicht, er scheint Kraft zu sammeln für Kuba, Costa Rica, die Insel.

Cat schlägt Lovy, schreibt Nora später an Christine, diese schon wieder in der Stadt, *Cat schlägt Lovy, und Lovy schlägt Cat, liebe Christine, du bist nicht wirklich schuld. Kaspar redet zu viel, I like you, I like you, schnitzt Holzvögel und soll mich nur ein Mal alleine lassen, liebste Christine, ich vermisse dich…*, Christine liest am Küchentisch, die Beine an den Körper gezogen, aus den Briefseiten rieselt Sand. Sie wundert sich, daß die Dinge immer ihre Wirkung haben, fühlt sich weit weg von der Insel, müde auch.

Kaspar weiß, daß Christine Cat geküßt hat, an ihrem letzten Abend auf der Insel. Sie waren mit dem Jeep hinunter nach Stony Hill gefahren, »Laß uns zu Brentons Platz fahren, ja?« hatte Christine gebettelt, Augen weit aufgerissen, Kaspar ließ sich überreden. Er mochte Christines Ausdruck »Brentons Platz« für dessen Laden, Holzhütte im Dorf, Schatten vom Brotfruchtbaum, man konnte braunen Rum trinken und Craven-A-Zigaretten einzeln kaufen, die alten Männer spielten verbissen und konzentriert Domino, und aus Brentons Radio zog sich langgezogenens, hohes Pfeifen. Sie waren mit dem Jeep hinunter nach Stony Hill gefahren, die Wolken rückten beiseite und gaben den Blick auf den hohen, sternenübersäten Himmel frei.

Brenton hatte einen neuen Kühlschrank, Christine bewunderte ihn gebührend, war aber unruhig und starrte immer wieder angestrengt in die Dunkelheit hinaus, zu Cats Bank am Rand der Lichtung hinüber – »Sitzt er da, oder sitzt er da nicht?«

Kaspar wußte genau, daß Cat da saß. Cat saß da immer, Kaspar sagte dennoch: »Keine Ahnung« und weidete sich an Christines ängstlicher Unentschlossenheit. Christine war nervös, trank hastig braunen Rum, zupfte an Noras Kleid, lief dann los in die Dunkelheit, wurde verschluckt, war schließlich wiederzuerkennen an ihren weißen, vom Sitz der Bambusbank herunterbaumelnden Beinen.

»Weil er mit seinem Feuerzeug geklickert hat«, sagte sie später, stolz auf ihr Kombinationsvermögen, und Kaspar erinnert sich wieder an den hellen Schatten ihres Gesichts, der sich irgend etwas zuwandte und mit irgend etwas verschmolz; er hatte später, als er und Nora nach Hause fahren wollten, ihren Namen gerufen, sie hatte zuerst überhaupt nicht geantwortet und dann Minuten später »Ja?« gesagt, mit einer ganz verschlafenen und weichen Stimme, war von der Bank gesprungen und hatte sich stumm in den Jeep gesetzt. Kaspar weiß, daß sie Cat geküßt und ihm Gottweißwas für Versprechungen gemacht hat, er findet's nicht gut.

Aber Nora und Christine zum ersten Mal auf der Insel. Kaspar versäumt nicht, das jeden Tag zu sagen, er singt es vor sich hin, nach einer Woche sagt Nora angestrengt: »Kaspar, das reicht jetzt.«

»Ihr staunt immer so«, sagt Kaspar. »Immerzu Staunen über jede Kleinigkeit, schau die Guaven, und sieh mal, der Abendhimmel, das ist auch lächerlich.«

Christine gähnt schläfrig in der Hängematte, sagt: »Kaspar, du bist eben schon zu lange hier, du lebst hier, das macht den Unterschied«, und Kaspar, triumphierend: »Darum muß ich es sagen – Nora und Christine zum ersten Mal auf der Insel.«

Kaspar staunt nicht mehr. Guaven, Mangos, Papayas, Zitronen groß wie Kindsköpfe. Kokosnüsse, Wassernüsse, Lianen, Azaleen. Spinnen, die wie Frösche durchs Zimmer hüpfen, kleinste Salamander und giftige Tausendfüßler. Die Akifrucht sieht aus wie ein Apfel und schmeckt gebraten wie ein Ei. Mangos werden in der Mitte aufgeschnitten und dann ausgelöffelt. »Habt ihr Durst«, sagt Kaspar gnädig, holt eine Wassernuß aus dem Garten, schlägt sie auf, gießt die weiße, milchige Flüssigkeit in Gläser. »Gut«, sagt Nora, macht ein Alles-zum-ersten-Mal-Gesicht, sagt: »Kaspar. Hör auf, mich zu beobachten.«

Christine hebt alles auf. Kokosnußschalen, schwarze Muscheln, Akikerne, Palmblätter, Streichhölzer, Schmetterlingsflügel. »Was willst du damit«, fragt Kaspar, und Christine sagt: »Na, denen zeigen. Zu Hause«, Kaspar antwortet: »Das wird sie nicht interessieren.«

Cat kommt nach Noras und Christines Ankunft fast jeden Tag zu Kaspar. Das ist nichts wirklich Neues, Cat kommt oft, er ist mit Kaspar befreundet, er hilft auf der Farm. Diese Beharrlichkeit aber, mit der Cat sich jetzt jeden Morgen, Mangos, Papayas, Zitronen im Rucksack und bei glühender Hitze, auf den steilen und steinigen Weg zu Kaspars Haus macht, die Früchte stumm auf den Küchentisch legt und sich dann auf die Veranda setzt, um in Bewegungslosigkeit zu verfallen, erstaunt Kaspar. Er beobachtet Cat. Cat sitzt zurückgelehnt auf dem blauen Verandastuhl, die Augen wie immer halb geschlossen, raucht sehr viel Haschisch, klickt sein Feuerzeug mit dem Daumen auf und zu und beobachtet Nora und Christine. Die bleiben ungerührt, bemerken nichts, es ist heiß auch, und sie sind sich viel zu nah, um das Bemühen eines Fremden spüren zu können. Sie trinken am Morgen ungesüßten, schwarzen Kaffee, rauchen fünf Craven-A-Zigaretten hintereinander, schnorren Kaspar um Wassernüsse an, wollen immer irgend etwas machen, rennen die Wiese hinunter, bleiben verschwunden. Kaspar fühlt sich ausgeschlossen und ist ärgerlich, hätte Nora gerne mehr für sich gehabt, schließlich war das doch der Grund ihres Besuches. Er sagt »Damals«. Er sagt »Weißt du noch«, er sagt »wir« und »wir damals in der Stadt«, so komische Worte, Christine zieht die Augenbrauen spöttisch hoch und Nora schaut weg.

»Das war mal, Kaspar«, sagt sie, küßt ihn auf die Wange, will vielleicht eine neue Art von Freundschaft, vielleicht auch gar nichts mehr.

»Warum seid ihr überhaupt gekommen«, fragt Kaspar dann, Nora antwortet leichthin: »Weil du uns eingeladen hast«, oder: »Weil ich Lust hatte, dich zu sehen. Wie du hier lebst, ob du dich verändert hast.«

»Habe ich mich verändert?« fragt sich Kaspar. »Bin ich hierher gegangen, um mich zu *verändern*?«, er weiß keine Antwort und fühlt sich beleidigt, allein gelassen.

Nora und Christine fahren täglich mit dem Jeep hinunter an den Hafen und dann an irgendeinen Strand, »Kaspar, kommst du mit?«, Kaspar bleibt oben, ebenso Cat, erst gar nicht gefragt, unbeweglich im blauen Stuhl. »Also gut, dann bis später«, aus Noras Stimme klingt nicht die geringste Enttäuschung, sie lenkt den Jeep in Schlangenlinien die Wiese hinunter auf die kleine Sandstraße zu, Christine winkt übertrieben, noch zwei, drei Minuten lang hört man den Motor, dann wird es still.

Kaspar legt sich in die Hängematte, schaut durch die Maschen hindurch Cat an, der zieht den linken Fuß zurück, schiebt den rechten vor, kratzt sich am Kopf, sitzt wieder still. Er wird bleiben bis zum Abend, bis Nora und Christine zurückkommen. Er wird bis nach dem Essen bleiben, und vermutlich wird er auch hier schlafen, das hat er gestern schon getan, auf dem alten Sofa in der Küche. Daß Cat in Kaspars Haus schläft, ist neu. Kaspar stört es nicht. Inselbewohner kommen, bleiben ungefragt einen oder zwei Tage lang, verschwinden wieder. Es ist üblich. Kaspar könnte sich in Brentons Haus in dessen Bett legen, dort vier Tage bleiben und dann wieder nach Hause gehen, Brenton würde ihn nichts fragen. Kaspar fragt Cat auch nicht. Aber er will wissen, ob Cat an Christine denkt oder an Nora. Christine?

Christine und Nora schauen Cat beim Essen zu. Cat ißt alles mit immer dem gleichen Gesichtsausdruck, ein stoisches Die-Gabel-zum-Mund-Führen mit leicht zum Teller geneigtem Kopf, seine linke Hand liegt flach auf dem Tisch, während er mit der rechten die Gabel hält, er ißt alles, ohne eine Miene zu verziehen, er sagt nie, das hier ist gut oder das schmeckt komisch; »Er ißt, weil er Hunger hat«, denkt Christine, »weil Essen das Stillen von Hunger ist, und sonst nichts«, sie schaut ihm zu, und manchmal sieht er sie mit schmalen Augen an, bis sie den Blick senkt. Sie füllt ihm Reis auf den Teller, Aki und Salzfisch, sie mag es, Cat Essen auf den Teller zu tun.

Die Abende sind lang, und dann wird Christine unruhig. Nora liegt in der Hängematte und spielt Digeridoo, bläst lange, dumpfe, vibrierende Töne in die Nacht hinaus. Sie kann damit Stunden verbringen und läßt sich selbst von Christine nicht beirren, die mit vor der Brust verschränkten

Armen auf der Veranda hin und her läuft, nervös, gelangweilt, »Kaspar, warum lebst du hier?«

Kaspar steht auf der Wiese und gießt die Azaleen, Christine lehnt sich an die Verandasäule zwei Meter von ihm
entfernt und macht ein konzentriertes Gesicht. Kaspar mag
diese Fragen nicht. Er mag Christines Unruhe nicht, er sagt
trotzdem: »Ich schätze, weil ich hier glücklich bin. Glück-
licher als anderswo, meine ich.«

»Wieso«, sagt Christine, versucht zuzuhören und ist doch
schon wieder gelangweilt.

»Schau dich um«, sagt Kaspar, richtet sich auf und zeigt
auf den Dschungel, aufs Meer, Feuerschein in den Bergen,
unten in der Bucht die diesigen, orangefarbenen Lichter des
Hafens. Christine folgt seinem Blick, Kaspar denkt daran, wie
sie nach ihrer Ankunft in der ersten Nacht mit angezogenen
Knien auf der Veranda gehockt und in die Dunkelheit gestarrt hatte, wirklich lange, sehr still.

»Ja«, sagt sie jetzt trotzig. »Ja, ich weiß. Aber du mußt etwas vermissen. Herbst meinetwegen, Schnee und Jahres-
zeiten, du bist nicht von hier. Ich meine, du mußt die Stadt
vermissen, deine Freunde, deine alte Wohnung, all das – vermißt du das nicht?«

»Nein, das vermisse ich nicht«, sagt Kaspar, Verärgerung
in der Stimme.

Christine rutscht langsam von der Veranda herunter und
läuft hinter ihm her.

»Worüber reden die hier schon, Kaspar. Ich will nicht mein

Leben lang über Papayas und Brotfrüchte reden müssen. Über Mangos. Sex, Kinder.«

»Du mußt nicht«, sagt Kaspar, und Christine sagt: »Man muß sich entscheiden«, dreht sich um und läuft die Wiese hinunter.

»Christine!« ruft Kaspar ihr hinterher, ein Versuch, versöhnlich zu sein, »morgen kommt der Drachenflieger!« und Christine, schon nicht mehr zu sehen, ruft zurück: »Und wann kommt der gottverdammte Hurrikan?«

Der Drachenflieger kommt früh am Morgen, die Inselbewohner sind dennoch schon vor ihm da. Sie müssen sich in der Morgendämmerung auf den Weg gemacht haben, denn als der Drachenflieger in einem kleinen, roten Auto den Berg hinaufgekrochen kommt, sitzen die Dorfgemeinschaften von Stony und Snow Hill schon auf der Veranda versammelt, schweigend. »Flyman«, sagt Cat, wie immer auf dem blauen Stuhl, und bricht in Gelächter aus, Christine beobachtet ihn aus den Augenwinkeln. Nora kauert im Schatten, raucht Craven-A und trinkt schwarzen Kaffee, der Drachenflieger faltet auf der Wiese Plastikplanen auseinander, zieht Stangen hervor, schwitzt, stößt Metall in Metall.

Es ist heiß. Die Sonne drängt vom Himmel herunter, es ist fast windstill. Kaspar fragt sich, wie der Flyman hier überhaupt abheben will, den Hügel hinunter bis zum Hafen, er hat sich den großen Taxiparkplatz zur Landung ausgesucht.

Der Flyman setzt sich einen Helm auf und steigt in ein schlafsackähnliches Bündel hinein, »Flugsack«, denkt Kaspar, der Flyman sieht jetzt aus wie ein riesiges, zorniges Insekt vor einer seltsamen Art der Entpuppung, und auf der Veranda breitet sich unterdrückte Heiterkeit aus.

»Flyman fly«, singt Nora leise, Christine hockt sich neben sie und kichert, über dem Hügel steigen Adler auf, weit draußen auf dem Meer blinkt ein Schiff. Cat verscheucht sachte die Fliegen und macht die Augen zu. Der Flyman läuft los, das Gras unter seinem Flugsack raschelt. Der Drachen hebt sich, ein Raunen geht durch die Reihen von Stony und Snow Hill, die Adler über dem Hügel segeln gleitend. Der Flyman bäumt sich auf, der Flugsack knattert, der Drachen fliegt vier Meter weit und fällt dann im Schilf am Rand der Wiese mit dumpfem Schlag zu Boden.

Irgend jemand steht auf und läuft ins Haus. Christine sagt: »Ich geh mal duschen«, der Morgen wird Mittag, unbemerkt. Das Schiff weit draußen nimmt Kurs auf den Hafen. Nora steht in der Küche, preßt Mangos und Guaven aus, schlägt Eis klein. Christine singt unter der Dusche, Cat auf dem blauen Stuhl neigt den Kopf und macht die Augen auf. Die Inselbewohner gehen mit Kaspar hinter das Haus, um die neuen Ziegen zu begutachten, von den Bergen kommt ein kleiner Wind. Der Flyman geht noch einmal in die Knie, der Drachen knattert und steigt. Er steigt einen Meter hoch, dann zwei, er schimmert blau, steigt auf, gleitet in gerader, schöner Linie über die Wiese auf den Dschungel zu, gleitet schräg, steigt immer höher. Nur Cat sieht ihn verschwinden, kleines Flügelpaar über den Bäumen, das Sonnenlicht fängt sich in einem Stahlstreben, es glitzert kurz, dann ist er fort, verschmolzen mit dem Blau des Meeres; Cat sieht das Schiff schon fast vorm Hafen, den weißen Bananenfrachter, der nach England fahren wird.

»Du mußt lernen zu warten«, sagt Cat am Abend, Nora und Christine sind enttäuscht, weil sie den Abflug des Flyman nicht gesehen haben. »Auch auf die kleinen Ereignisse.« Christine starrt ihn an, es ist das erste Mal, daß Cat überhaupt mit ihr redet, sie weiß nicht, ob sie das jetzt unverschämt finden soll. Sie sagt »Was soll das denn sein – die kleinen Ereignisse«, Cat antwortet nicht, aber Kaspar lacht und sagt: »Slow motion. Like a ship over the ocean«, und Christine verläßt beleidigt die Küche.

Das Radio erhöht die Anzahl der Hurrikanmeldungen auf zwölf am Tag. Auf Costa Rica werden die ersten Evakuierungsmaßnahmen getroffen, die Deutschen unten am Hafen setzen sich mit der Botschaft in Verbindung und melden Flüge in die Vereinigten Staaten an. Das Auge des Hurrikans, sagt Kaspar, sei still. Er kauft Spiritus, Kerzen, Benzin, Jod und Wundpflaster, Büchsenfleisch und Reis.

»Wenn der Hurrikan kommt«, sagt Christine zögernd,

»kann ich nicht nach Hause fliegen«, und Nora, die ohnehin länger bleiben will, schweigt.

Cat wartet siebzehn Tage lang. Am achtzehnten Tag schnellt er aus dem blauen Verandastuhl empor und packt Christine, die, Schreibpapier und Stift in der Hand, Zigarette im Mund, gerade ins Haus gehen will, am Handgelenk.

Er sagt: »Ich mag dich«, seine Stimme klingt rauh und wie unbenutzt. Christine bleibt stehen, nimmt mit der freien Hand die Zigarette aus dem Mund und starrt ihn an, seine Wimpern sind in einem unwahrscheinlichen Schwung nach oben gebogen, die Iris seiner Augen ist vom Haschischrauchen gelb, sein Gesicht ist sehr nah an ihrem, Christine schüttelt sich, er riecht gut.

Cat wiederholt: »Ich mag dich«, und Christine lacht sehr plötzlich, sagt: »Ja. Ich weiß«, windet ihr Handgelenk aus seiner Hand und läuft ins Haus.

Kaspar sagt: »Cat hat eine Frau und ein Kind.«

Christine sitzt auf der Veranda neben ihm, barfuß, die Knie wie oft an den Körper gezogen, schält letztes Fruchtfleisch von einem Mangokern, sagt: »Ich weiß. Brenton hat es mir erzählt.«

Kaspar sagt: »Und was machst du damit, daß du's weißt?«

Christine läßt den Mangokern sinken, schaut ihn irritiert an, sagt: »Nichts. Was soll ich damit machen – ich weiß es einfach. Vermutlich ist es mir egal.«

Kaspar sagt: »Seine Frau heißt Lovy. Sie ist nicht da. Sie ist vor zwei Wochen zurück zu ihrer Familie gegangen, weil Cat etwas mit einem anderen Mädchen angefangen hat.«

Christine pult an dem Mangokern herum, leckt sich die Finger ab, schaut geistesabwesend zum Hafen hinunter: »Brenton sagt, Cat würde das bestreiten.«

Kaspar kickt ihr den Kern aus der Hand, erwartet Empörung, aber Christine reagiert nicht. Der Kern fällt ins Gras. Kaspar sagt: »Darum geht es nicht«, er könnte Christine ins Ohr schreien, er hat das Gefühl, daß sie ihm nicht wirklich zuhört. »Lovy wollte nach einer Woche zurückkommen, und sie ist bis heute noch nicht wieder da. Cat wartet. Ob er lügt oder nicht, er wartet, verstehst du. Auf sie und auf sein Kind.«

»Auf die kleinen Ereignisse, was«, sagt Christine zynisch, sieht Kaspar dann plötzlich mit kindlichem Erstaunen direkt ins Gesicht. »Er würde sie niemals zurückholen, nicht wahr?«

»Nein«, sagt Kaspar. »Das ist nicht – üblich. Er würde sie nie holen, aber er wartet dennoch. Wenn sie kommt, geht er nach Hause.«

Christine fischt den Kern aus dem Gras und spürt ein kurzes Ziehen im Magen. Sie sagt: »Er meint, er mag mich.«

»Ich weiß«, sagt Kaspar und steht auf. »Du bist das, was sie hier eine white lady nennen. Es geht nicht um dich, es geht um deine Hautfarbe. Du solltest dich da raushalten«, Christine zuckt mit den Schultern und legt den Kopf auf die Knie.

Der Bananenfrachter liegt eine Woche lang im Hafen. Kaspar fragt sich, ob die Länge dieses Aufenthaltes etwas mit den Hurrikanmeldungen zu tun hat; die Bananen sind längst verladen, aber die Matrosen hängen noch immer auf den Kais herum, sie schrubben das Deck, liegen im Schatten, sitzen bewegungslos und stumm in den Bars. Sie sehen mongolisch aus, fast wie Eskimos, ihre Gesichter sind rund und dunkel, ihre Augen schräg. Nora und Christine sitzen am Pier und schauen an dem riesigen, weißen Schiff empor, die Matrosen hoch oben an Deck tragen trotz der Hitze rote Overalls mit Kapuzen, die sie sich über den Kopf gezogen haben.

»Die fahren nach Costa Rica und Kuba«, sagt Christine. »An Amerika vorbei nach Europa, ich würde gerne mal reisen auf so einem Schiff. Jetzt. Wir können sie fragen, ob sie uns mitnehmen.«

Nora schweigt, sieht zu den Mongolenmatrosen empor, möchte gerne deren Augen richtig sehen können. Christine lehnt den Kopf an Noras Schulter und fühlt sich den Tränen nah.

»Ach Christine«, sagt Nora. »Das hier nennt man Urlaub. Eine Reise, verstehst du? Nichts mehr. Du packst deinen Koffer, und drei, vier Wochen später packst du ihn wieder aus. Du kommst und bleibst und fährst wieder, und was dich traurig macht, ist ganz was anderes. Du wirst nach Hause fliegen, bald, und wir werden nicht mit dem Bananenfrachter nach Kuba und nach Costa Rica fahren.«

»Kommst du mit?« fragt Christine, und Nora sagt: »Nein. Ich glaube, ich bleibe noch ein wenig bei Kaspar«, Christine schaut sie von der Seite an, sagt dann: »Warum eigentlich«, kneift die Augen zusammen.

Nora zuckt mit den Schultern. »Vielleicht tut er mir leid? Vielleicht fühle ich mich ihm verpflichtet, wegen dem, was mal war? Vielleicht denke ich, er braucht ein wenig Gesellschaft? Ich weiß es nicht. Ich bleibe einfach.«

Christine wiederholt: »Du bleibst einfach«, lacht dann, sagt: »Belafonte, *Jamaica fare well*, kennst du das? Sad to say, I'm on my way, won't be back for many a da-ay.«

»My heart is down, my head is turning around«, singt Nora und kichert. »Cat. Was ist mit Cat?«

»Ich weiß nicht«, sagt Christine. »Ich komme und bleibe und fahre dann wieder. Was soll da sein.«

Als sich Cat am Abend neben Christine auf die Veranda setzt, stehen Kaspar und Nora auf, gehen ins Haus und ziehen die Tür hinter sich zu. Christine dreht sich erstaunt zu ihnen um, will was sagen, sagt nichts. Cat sitzt neben ihr und schweigt, Christine schweigt auch, sie schauen die Wiese hinunter, im Dschungel gehen Feuer an, es ist fast windstill. Christine spürt Cats Hand an ihrem Kopf, er zieht an ihrem Haargummi, es zieht ein wenig, ihr Zopf löst sich auf und die Haare fallen ihr über die Schultern. Cat dreht sich eine Strähne um den Finger und streicht sie glatt, Christine bekommt Gänsehaut auf den Armen und am Hals. Cat legt ihr die Hand um den Nacken, Christine beugt den Kopf vor und macht die Augen zu, Cats Hand auf ihrem Nacken mit leisem Druck, und Christine wird schwindelig. »Eine Nacht«, sagt Cat. »Nein«, sagt Christine. »Das geht nicht.« Sie steht auf und nimmt ihm das Haargummi weg, Cat lacht leise und schlägt sich mit der flachen Hand sachte auf die Schenkel. In der Küche sitzen Nora und Kaspar schweigend und mit gespannten Gesichtern. »Danke«, sagt Christine. »Danke, das wäre wirklich nicht nötig gewesen. Scheiße.« Sie knallt ihre Zimmertür hinter sich zu und schiebt den Riegel vor.

»Glück gehabt«, sagt Kaspar, und Nora fragt: »Wer hat Glück gehabt. Christine oder Cat?«

Zwei Tage später kommt Lovy zurück. Sie taucht ganz plötzlich am Rand des Hügels auf und bleibt da stehen, in Begleitung zweier Frauen, eine hält einen weißen Sonnenschirm über sie, die andere trägt ein Kind im Arm. Lovy steht und bewegt sich nicht, sie schaut zum Haus empor. Cat sitzt auf dem blauen Verandastuhl, die Augen wie immer halb geschlossen, es ist nicht sicher, ob er sie überhaupt sieht. Nora und Christine, auf dem Weg zum Strand, bleiben am Jeep stehen und starren Lovy an, »Das ist sie«, denkt Christine und fühlt sich seltsam atemlos. Die zweite Frau hält den Sonnenschirm über Lovy stur in die Höhe gereckt. Lovy starrt stur zum Haus hoch, hat die Arme über der Brust verschränkt und macht keine Anstalten, näher zu kommen. Cat scheint das auszuhalten. Nora und Christine stehen still und rühren sich nicht. Dann steht Cat auf und springt von der Veranda herunter, er hat einen verbissenen Ausdruck im Gesicht und läuft steif auf Lovy zu, fünf Schritte, sieben, zwölf, Christine zählt. Direkt vor Lovy bleibt er stehen.

Der weiße Sonnenschirm schwankt ein wenig. Lovy sagt etwas, Cat erwidert. Sie stehen voreinander, »Was hat sie gesagt, was hat sie denn gesagt?« flüstert Christine, und Nora zischt: »Ich hab's nicht verstanden!«

Cat dreht sich um und geht zum Haus zurück. Lovy wendet den Kopf und schaut Nora und Christine an. »Sie verhext uns!« flüstert Nora und kneift Christine in den Arm, Christine spürt ihr Herz hochschlagen. Lovy packt sich den Sonnenschirm und klappt ihn zu, die Frauen wiegen sich in den Hüften und verschwinden so plötzlich, wie sie gekommen sind.

Cat setzt sich auf den blauen Stuhl. Christine geht alle fünf Minuten auf die Veranda, kreist um ihn herum, gießt die Azaleen, räuspert sich, rückt Stühle umher, schafft Wassernüsse ins Haus. Cat reagiert nicht. Er sitzt so zwei Stunden lang, dann steht er auf und läuft grußlos hinter das Haus. Christine weiß, er nimmt den kurzen Weg nach Stony Hill, den, den man nur mit der Machete gehen kann, und mit einer Wut im Bauch.

Das Spiel heißt »Sich-so-ein-Leben-vorstellen«. Man kann es spielen, wenn man abends bei Brenton sitzt, auf der Stufe, die zum Laden hinaufführt, in der Dunkelheit, mit Zigaretten und einem Glas Rum mit Cola. Man kann es spielen, wenn man ein kleines, schlafendes Kind im Arm hat, dessen gekräuseltes Haar nach Sand riecht. Nora stellt sich Brenton vor, der steht hinter dem abgegriffenen Holztresen, Christine wählt Cat, der sitzt, seit Lovy wieder da ist, nicht mehr auf Kaspars Veranda, sondern mit den alten Männern beim Dominospiel oder auf der Bambusbank weit hinten am Rand der Lichtung.

»Stell dir vor«, sagt Nora. »Stell dir vor, das ist dein Kind, in deinem Arm, es ist müde von einem langen, heißen Tag. Cat ist dein Mann. Er spielt ein bißchen Domino und trinkt ein bißchen Rum. Du wiegst dein Kind und wartest, bis er damit fertig ist; dann geht ihr nach Hause, über die Straße von Stony Hill, da gibt es keine Laternen, nur die Sterne über euch. Cat trägt das Kind und geht vor dir her, er ist selbstverständlich sehr stark, weil er den ganzen Tag auf dem Feld arbeitet. Ihr lauft so durch die Nacht, in den Dschungel hinein, manchmal muß er euch mit der Machete den Weg frei machen, das beeindruckt dich.« Nora holt tief Luft, Christine scharrt mit den Füßen und sagt ungeduldig: »Weiter!«

»Also«, sagt Nora. »Natürlich redet ihr nicht miteinander, was sollst du auch reden mit Cat. Er ist der beste Ziegenschlachter, der stärkste Arbeiter, er hat eine Hütte in den Bergen und ein bißchen Geld unter der Matratze. Das ist viel. Du bist ganz glücklich mit ihm, auch, weil die Frauen im Dorf dich um ihn beneiden. Wenn ihr an eurer Hütte angelangt seid, bringt ihr das Kind zu Bett und schlaft dann miteinander. Im Dunkeln, wahrscheinlich. Dann schläfst du ein, morgen ist ein anderer Tag, und daß du mal – das hast du vergessen.«

Christine raucht, hört zu und sieht Cat an, der spielt Domino, ab und an schaut er hoch und schenkt ihr den Ansatz eines aggressiven Lächelns. Nora verreibt Spucke auf den Mückenstichen an ihren Beinen, kratzt sich lustvoll, sagt: »Los. Du bist dran.«

»Und wenn wir alle gegangen sind«, sagt Christine, »dann gibst du Brenton einen Kuß, machst das Radio aus, schließt die Fensterläden, und es wird still. Ihr räumt die Gläser weg und den Rum und zählt das Geld, das ihr heute verdient habt. Ihr überlegt euch, ob ihr euch als nächstes einen Kühlschrank kaufen wollt oder tatsächlich endlich einen ganz kleinen Fernseher. Brenton ist ein guter Mann. Er verkauft Rum, Zigaretten, Brot, Pflaster, Papier und Stifte. Die Leute sagen, er hätte eine Menge Geld unter der Matratze, du wirst das wissen. Brenton ist sanft, er hat sich noch nie mit jemandem geschlagen; die Leute sagen auch, du hättest ihn unter dem Schuh. Wie auch immer – er liebt dich sehr, und am allermeisten liebt er deine Haare und die kleine, weiße Kuhle unter deinem Kehlkopf. Ihr scheucht die Hühner aus der Hütte, holt die Hunde rein, raucht noch eine Zigarette, und dann löscht ihr das Licht. Ich glaube, ihr schlaft auf so kleinen Feldbetten hinten im Laden; das Kind, weiß ich, schläft im rechten Fach unter dem Tresen. Brenton legt sich an deinen Rücken, legt die Arme um dich, du schläfst ein, und alles – ist gut.«

Nora lacht und Christine stößt sie mit der Schulter an, das Kind in ihrem Arm atmet leise und bewegt die Hände im Schlaf.

Der Hurrikan streift Costa Rica, zerstört Hotelanlagen und verursacht eine Flutwelle, bei der zwei Fischer ums Leben kommen. Dann zieht er wieder aufs Meer hinaus und bleibt zweihundert Kilometer nördlich der Insel stehen. Christine sitzt am Fuß des Hügels und beobachtet den Horizont. Das Radio gibt weiterhin zwölf Mal am Tag die Hurrikanmeldungen durch. Die Touristen in den Clubs, sagen die Inselbewohner, seien schon vor Tagen abgereist. Die Botschaft ruft an und fragt Kaspar, ob er einen Flug in die Staaten buchen wolle, Kaspar lehnt ab. Er ist unruhig, arbeitet weniger als sonst auf den Feldern der Farm, repariert das Dach und die Fensterläden, trägt Wasser- und Kokosnüsse in den Keller. Die Leute aus Stony und Snow Hill kommen mit Körben auf dem Kopf und stellen diese im Haus unter.

»Ich will, daß er kommt«, sagt Christine am Fuß des Hügels sitzend, die Hand schützend über die Augen gelegt, der Himmel ist weiß und wolkenlos. »Ich will, daß der Hurrikan kommt, verdammt noch mal.«

»Wenn er kommt, wirst du dir in die Hosen scheißen, verdammt noch mal«, sagt Kaspar, der hinter ihr steht, er sieht ihren Nacken an, sie ist braun geworden, auf ihren Schultern schält sich die Haut. »Du wirst flennen und kreischen. Ein Hurrikan ist keine Sensation. Ein Hurrikan ist fürchterlich, du willst, daß er dir alle deine Entscheidungen abnimmt, aber nicht auf Kosten der Insel, nicht auf meine Kosten.«

Christine dreht sich nach ihm um und sieht übertrieben erstaunt aus, Kaspar ist weiß im Gesicht und beißt sich auf die Lippen.

»Hör mal«, sagt Christine leise und wütend, »was redest du denn da.«

»Ich habe deine Fluggesellschaft angerufen«, flüstert Kaspar zurück. »Dein Abflug in zwei Tagen ist überhaupt kein Problem, sie fliegen noch bis Ende der Woche, erst dann, erst wenn du wieder zu Hause bist, wird es losgehen.«

Christine antwortet nicht. Das Gras unter ihren nackten Füßen ist stachelig und hart. Eine Fußsohle wie Cat möchte ich haben, denkt sie, wie eine Schale, und kein Schritt tut mehr weh. Nora steht auf der Veranda und beobachtet sie, Christine sitzt und bewegt sich nicht, und Nora dreht sich um und läuft ins Haus.

Natürlich hat Christine Cat geküßt, an diesem letzten Abend. Kaspar wollte nicht zu Brenton fahren, Christine wollte doch, Nora wollte auch, also fuhren sie. Kaspar lenkte den Jeep den steinigen Weg hinunter, die weißen Scheinwerferkegel so unheimlich in der vollständigen Dunkelheit; ein riesiger

Nachtfalter zerschellte an der Windschutzscheibe, und Christine griff nach Noras Hand. Unten bei Brenton kamen die Kinder gerade vom Fußballspiel zurück, die alten Männer saßen beim Domino, Brenton hatte einen neuen Kühlschrank, und Cat war nicht zu sehen.

Christine fühlte sich unruhig und traurig, starrte nervös in all die schwarzen Gesichter, wollte braunen Rum trinken, schnell. »Schöööner Kühlschrank, Brenton«, und Brenton lachte, war sehr stolz, legte alle Colaflaschen ins Eisfach, wo sie nach Minuten zu dicken, braunen Klumpen gefroren. »Ist Cat da?« fragte Christine, sah Kaspar bittend an, der gab keine Auskunft, Nora vermutete ihn auf der Bambusbank; da saß wohl jemand, ein Schatten, nicht richtig zu erkennen.

Christine trank Rum, rauchte eine Zigarette nach der anderen, war nicht fähig, irgend jemandem wirklich zuzuhören. Aus der Dunkelheit ab und an das metallische Aufklappen eines Feuerzeugs, Christine verstand erst beim vierten Mal, lief dann los, auf die Bambusbank zu – »Cat?« Cat ließ weiße Zähne sehen, und Christine setzte sich neben ihn, atemlos und mit klopfendem Herzen, lehnte sich an ihn, sagte nichts.

Nora und Kaspar draußen auf der Lichtung im hellen Schein der Lampe auf der Stufe vor dem Laden. Brenton beschäftigte sich mit seinem Kühlschrank, und die Kinder hockten um Nora herum und zogen an deren langen, glatten Haaren.

»Kommst du wieder?« fragte Cat, und Christine sagte sofort: »Ja«, log ohne Mühe, versuchte, an ihn gelehnt, zu begreifen, wonach er eigentlich roch – Petroleum, Erde, Rum, Haschisch? Fremd alles. Die Alten knallten ihre Dominosteine auf den Tisch, und ein Kind eroberte sich Noras Schoß. Die Welt war in der Mitte durchgeteilt. Christine baumelte mit den Beinen, und dann nahm Cat ihren Kopf und küßte sie. Sie stellte erstaunt fest, daß sein Kiefer dabei knackte, und das »Sich-so-ein-Leben-vorstellen«-Spiel zog durch ihre Gedanken, wie ein heller und roter Streifen Papier. Sie küßte Cat und dachte, daß ihr Mund viel zu klein war, für seinen; Cat knackte mit dem Kiefer und spähte, während er sie küßte, mit weitaufgerissenen Augen zum Laden hinüber, als Brenton aufsah, ließ er sie los. Kaspar drehte sich um und sprach mit Brenton, Nora reckte verstohlen den Kopf, und Christine wußte, daß sie jetzt versuchte, auf der Bambusbank etwas zu erkennen.

»Wenn du wiederkommst, ist das dann unsere Zeit?« fragte Cat, und Christine antwortete: »Klar ist das dann unsere Zeit«, log wiederum und dachte an die Insel, noch einmal neu. Würde sie dann in Cats Haus wohnen, oder wo? Und Lovy? Und Cats Kind? Für vier Wochen oder fünf? Sie küßte Cat und berührte vorsichtig mit dem Finger die Innenseite seiner Hand. Der Rest Rum im Glas schmeckte süß und brannte im Hals. Christine dachte wirr, daß Rumtrinken zu Hause etwas völlig anderes war, als Rumtrinken auf der Insel, und hörte Kaspar ihren Namen rufen. Cat hielt sie fest, schloß auch diesmal nicht die Augen, dann machte Christine sich los, rief zurück: »Ja?« mit einer Stimme, die ihr selber fremd war. Cat sagte auch nicht »Auf Wiedersehen«, sie sprang von der Bank und setzte sich in den Jeep, Kaspar starrte ihr vorwurfsvoll ins Gesicht, und sie wandte sich ab.

Das Taxi, das sie zum Flughafen bringen wird, kommt um vier Uhr am Morgen, und bis drei Uhr denkt Christine noch immer, daß Nora im Zimmer stehen wird mit verschlafenem Gesicht – »Christine, ich komme jetzt doch mit.«

Nora aber kommt nicht. Christine sitzt auf dem Sofa, schläft ein, wacht wieder auf, ums Haus der Wind; jetzt noch einmal die Tür öffnen, sich noch einmal auf die Veranda setzen – Cats blauer Stuhl? –, ist nicht mehr möglich. Christine schreibt einen Zettel für Nora und steckt ihn ins Digeridoo hinein. Um vier Uhr tasten sich die Scheinwerferkegel des Taxis den Hügel hinauf, über dem Meer wird die Sonne aufgehen, bald. Christine verstaut den Rucksack im Kofferraum, setzt sich auf den Beifahrersitz und schnallt sich an. Der Taxifahrer ist zu müde, um zu reden, er fragt nur: »Airport?«, und Christine nickt und macht die Augen zu.

Der Hurrikan ist an uns vorübergezogen, schreibt Nora später an Christine, *jetzt scheint die Sonne den ganzen Tag, und Kaspars Notfallreis haben wir aufgegessen. Cat vermißt dich und sagt, du kämst bald wieder, ich sage – ja.*

Sonja

Sonja war biegsam. Ich meine nicht dieses »biegsam wie eine Gerte«, nicht körperlich. Sonja war biegsam – im Kopf. Es ist schwierig zu erklären. Vielleicht – daß sie mir jede Projektion erlaubte. Sie erlaubte mir jede mögliche Wunschvorstellung von ihrer Person, sie konnte eine Unbekannte sein, eine kleine Muse, jene Frau, der man einmal auf der Straße begegnet und an die man sich noch Jahre später mit dem Gefühl eines ungeheuren Versäumnisses erinnert. Sie konnte dumm sein und bieder, zynisch und klug. Sie konnte herrlich sein und schön, und es gab Augenblicke, da war sie ein Mädchen, blaß im braunen Mantel und wirklich unwichtig; ich glaube, sie war so biegsam, weil sie eigentlich nichts war.

Ich begegnete Sonja auf einer Zugfahrt von Hamburg nach Berlin. Ich hatte Verena besucht und war auf dem Heimweg; ich hatte acht Tage mit ihr verbracht, und ich war sehr in sie verliebt. Verena hatte einen Kirschmund und rabenschwarzes Haar, das ich ihr jeden Morgen zu zwei dicken, schweren Zöpfen flocht, wir gingen am Hafen spazieren, ich sprang um sie herum, rief ihren Namen, verscheuchte die Möwen, fand sie wunderbar. Sie fotografierte Docks, Frachtkähne und Imbißbuden, redete viel, lachte ständig über mich, und ich sang »Verena, Verena«, küßte ihren Kirschmund und hatte große Lust, nach Hause zu fahren und zu arbeiten, den Geruch von ihrem Haar an den Händen.

Es war Mai, der Zug fuhr durch die Mark Brandenburg, und die Wiesen waren sehr grün unter langen, frühabendlichen Schatten. Ich verließ das Abteil, um eine Zigarette zu rauchen, und draußen, auf dem Gang, stand Sonja. Sie rauchte und stemmte das rechte Bein gegen den Aschenbecher; als ich neben sie trat, zog sie die Schultern unwillkürlich nach vorn, und irgend etwas stimmte nicht mit ihr. Die Situation war gewöhnlich – der schmale Gang eines ICE irgendwo zwischen Hamburg und Berlin, zwei Menschen, die zufällig nebeneinanderstehen, weil sie beide eine Zigarette rauchen wollen. Sonja aber starrte aus dem Fenster mit einer unglaublichen Sturheit, sie hatte eine Körperhaltung wie bei einem Bombenalarm. Sie war überhaupt nicht schön. Sie war in diesem allerersten Moment alles andere als schön, wie sie dastand, in einer Jeans und einem weißen, zu kurzen Hemd, sie hatte schulterlanges, glattes, blondes Haar, und ihr Gesicht war so ungewohnt und altmodisch, wie eines dieser Madonnenbilder aus dem 15. Jahrhundert, ein schmales, fast spitzes Gesicht. Ich schaute sie von der Seite an, ich fühlte mich unwohl und war ärgerlich, weil mir die Erinnerung an Verenas Sinnlichkeit entglitt. Ich zündete mir eine Zigarette an und lief rauchend den Gang hinunter, ich hatte das Bedürfnis, ihr einen zotigen Ausdruck ins Ohr zu flüstern. Als ich mich umdrehte, um in mein Abteil zurückzugehen, schaute sie mich an.

Irgend etwas Ironisches ging mir durch den Kopf, etwas darüber, daß sie es nun doch gewagt hatte, mich anzusehen, der Zug ratterte, und in einem der hinteren Abteile schrie ein Kind. Ihre Augen waren nichts Besonderes, sie waren vielleicht grün, nicht sehr groß, und sie standen ziemlich eng beieinander. Ich dachte überhaupt nichts mehr, ich schaute sie an, sie schaute zurück, ohne Erotik, ohne Flirt, ohne Schmelz, aber mit einem Ernst und einer Direktheit, daß ich sie hätte ins Gesicht schlagen können. Ich trat zwei Schritte auf sie zu, sie lächelte ansatzweise. Dann war ich in meinem Abteil und riß die Tür hinter mir zu, fast außer Atem.

Der Zug hielt am Zoologischen Garten, als es schon dunkel war. Ich stieg aus, fühlte mich seltsam erleichtert und bildete mir ein, die Stadt riechen zu können. Es war warm, der Bahnsteig voller Menschen, ich nahm die Rolltreppe zur U-Bahn hinunter, und obwohl ich sie nicht gesucht hatte, entdeckte ich sie sofort. Sie war drei, vier Meter vor mir, trug eine kleine, rote Hutschachtel in der rechten Hand; ihr Rücken war eine einzige Aufforderung. Ich ignorierte sie mit zusammengebissenen Zähnen. Ich blieb am Pressecafé stehen, um Tabak und die Abendzeitung zu kaufen, und dann war sie neben mir und sagte: »Soll ich warten.«

Sie fragte nicht, sie sagte es einfach und schaute dabei auf den Boden, ihre Stimme war aber überhaupt nicht verlegen, sondern fest und ein wenig rauh. Sie war sehr jung, vielleicht neunzehn oder zwanzig Jahre alt, mein Unbehagen löste sich auf und wich Überlegenheit. Ich sagte: »Ja«, ohne eigentlich zu wissen, warum, bezahlte Tabak und Zeitung, und dann liefen wir nebeneinander her zur U-Bahn. Der Zug kam, wir stiegen ein; sie schwieg, stellte ihre alberne Hutschachtel ab, und kurz bevor die Situation unangenehm wurde, fragte sie:

»Wo kommst du her?« Diesmal war es eine wirkliche Frage. Ich hätte sagen können, daß ich meine Freundin in Hamburg besucht hatte, aber aus irgendeinem Grund sagte ich:

»Ich war mit meinem Vater fischen.«

Sie starrte auf meinen Mund, ich war nicht sicher, ob sie überhaupt zugehört hatte, aber plötzlich wußte ich, daß sie beschlossen hatte, mich haben zu wollen. Sie mußte mich schon vorher gesehen haben, vielleicht in Hamburg, vielleicht in Berlin. Sie kannte mich, bevor ich sie das erste Mal wahrgenommen hatte, und als ich mich neben sie stellte, um eine Zigarette zu rauchen, zog sie die Schultern nach vorn, weil sie begonnen hatte zu handeln. Sie hatte diese Situation geplant, sie hatte gewußt, daß es so kommen würde, und jetzt wurde sie mir unheimlich. Ich zog meinen Rucksack auf die Schulter, sagte: »Ich muß aussteigen.« Sie holte mit unglaublicher Schnelligkeit einen Stift aus ihrer Hutschachtel, schrieb etwas auf einen Zettel und drückte ihn mir in die Hand – »Du kannst mich anrufen.«

Ich antwortete nicht; stieg aus, ohne mich zu verabschieden, und steckte den Zettel in die Tasche meiner Jacke, statt ihn wegzuwerfen.

Dieser Mai war warm und sonnig. Ich stand früh auf, arbeitete viel im Atelier, schrieb ungezählte Briefe an Verena. Sie schrieb selten zurück, aber manchmal rief sie an, um mir irgendwelche Geschichten zu erzählen, und dann genoß ich ihre Stimme und ihre Unbeschwertheit. In meinem Hinterhof blühten die Linden, ich spielte mit den Türkenjungs Fußball und sehnte mich nach Verena, ohne mich zu quälen. Wenn es dunkel wurde, zog ich los, die Stadt war wie in einem kleinen Rausch, ich ging trinken und tanzen, es gab Frauen, die mir gefielen, aber dann dachte ich an Verena und ging allein nach Haus.

Zwei Wochen später fand ich in meiner Jacke Sonjas Zettel wieder. Sie hatte in großen, runden Zahlen ihre Telefonnummer und darunter nur ihren Vornamen aufgeschrieben, ich sagte ihn leise vor mich hin – »Sonja«. Dann rief ich sie an. Sie ging ans Telefon, als hätte sie seit zwei Wochen danebengesessen und nichts anderes getan, als auf meinen Anruf gewartet. Ich mußte mich nicht erklären, sie wußte sofort, wer ich war, und wir verabredeten uns für den Abend in einem Café am Ufer.

Ich legte auf, bereute nichts, rief Verena an und schrie gut gelaunt in den Hörer, daß ich sie bis zum Verrücktwerden lieben würde. Sie kicherte und sagte, sie käme in drei Wochen nach Berlin; dann fing ich an zu arbeiten, pfiff die Melodie von *Wild Thing* und ging gegen Abend los, die Hände in den Taschen und kein bißchen aufgeregt.

Sonja kam eine halbe Stunde zu spät. Ich saß an der Bar und hatte mein zweites Glas Wein bestellt, als sie das Café betrat. Sie trug ein unglaublich altmodisches, rotes Samtkleid, und ich bemerkte irritiert, daß sie Aufsehen erregte. Sie stöckelte auf viel zu hohen Schuhen auf mich zu, sagte »Hallo« und »Entschuldigung«, und ich war kurz versucht ihr zu sagen, daß ich sie unmöglich fand, ihre Aufmachung, ihre Unpünktlichkeit, ihre ganze Person. Aber dann grinste sie, kletterte auf den Barhocker, kramte ihre Zigaretten aus einem winzigen Rucksack hervor, und mein Ärger löste sich in Belustigung auf. Ich trank meinen Wein, drehte mir eine Zigarette, grinste zurück und fing an zu reden.

Ich redete über meine Arbeit, meine Eltern, meine Vorliebe fürs Fischen, über meinen Freund Mick und über Amerika. Ich redete über Leute, die im Kino mit Bonbonpapier knistern, über Francis Bacon und Pollock und Anselm Kiefer. Ich erzählte von Dänemark, von den Türkenjungs in meinem Hinterhof und von dem Geliebten, den meine Mutter vor zehn Jahren gehabt hatte, von der Zubereitung von Lamm und Kaninchen, vom Fußball und von Griechenland. Ich schilderte Kios und Athen, die Brandungswellen vor Husum und das Laichen der Lachse im Sommer in Norwegen. Ich hätte Sonja zu Tode reden können, und sie hätte sich nicht gewehrt. Sie saß einfach da, den Kopf in die Hände gestützt, schaute mich an, rauchte irrsinnig viele Zigaretten und trank ein einziges Glas Wein. Sie hörte mir geschlagene vier Stunden lang zu. Ich glaube tatsächlich, sie sagte während dieser ganzen Zeit nicht ein Wort. Als ich fertig war, bezahlte ich für uns beide, wünschte ihr eine gute Nacht, nahm ein Taxi nach Hause und schlief acht Stunden lang traumlos und tief.

Ich vergaß Sonja sofort. Ich bereitete meine Ausstellung vor, es wurde Juni, und Verena kam nach Berlin. Sie brachte meine Pfandflaschen zurück, kaufte Unmengen von Lebensmitteln ein, stellte die Küche mit Fliedersträußen voll und war ständig bereit, mit mir ins Bett zu gehen. Sie sang in der Wohnung, während ich arbeitete, sie putzte meine Fenster, telefonierte Stunden mit ihren Freunden in Hamburg und kam immerzu ins Atelier gelaufen, um mir irgend etwas zu erzählen. Ich kämmte ihre Haare, fotografierte sie von allen Seiten und begann von Kindern und vom Heiraten zu sprechen. Sie war ziemlich groß, auf der Straße drehten sich die Männer nach ihr um, sie roch wunderbar, und ich meinte es ernst.

Am Ende des Monats eröffnete ich die Ausstellung. Verena war zum Bahnhof gefahren, um ihre Freunde abzuholen, und ich lief unruhig in der Galerie auf und ab, hängte ein letztes Bild noch einmal um und war nervös. Gegen sieben Uhr kam Verena zurück, scheuchte ihre Freunde an meinen Bildern vorbei, und ich verließ die Galerie, um fünf Minuten alleine zu sein. Ich ging auf die andere Straßenseite, und dort, in einem Hauseingang, stand Sonja. Ich weiß bis heute nicht, ob sie zufällig vorbeigekommen war oder ob sie auf irgendeine Art und Weise von der Ausstellung erfahren hatte, sie kannte nur meinen Vornamen, und ich hatte von der Galerie nichts erzählt. Sie stand da und sah unglaublich wütend aus, anmaßend wütend geradezu, und dann sagte sie: »Du wolltest dich melden. Du hast dich nicht gemeldet. Ich wüßte gerne, warum, denn ich find's nicht gut.«

Ich war wirklich verblüfft über diese Unverschämtheit, ich wurde ärgerlich und unsicher und sagte: »Meine Freundin ist hier. Ich kann mich nicht aufteilen. Ich will nicht.«

Wir standen voreinander, starrten uns an. Ich fand sie taktlos. Ihre Mundwinkel begannen zu zittern, und ich hatte das Gefühl, daß irgend etwas völlig falsch lief. Sie sagte: »Kann ich trotzdem reinkommen?«, ich sagte: »Ja«, drehte mich um und ging in die Galerie zurück.

Zwanzig Minuten später kam sie rein. Es war inzwischen voll geworden, sie fiel überhaupt nicht auf, dennoch sah ich sie sofort. Sie kam rein mit einem ganz angespannten Gesichtsausdruck und einer bemüht stolzen Haltung. Sie wirkte sehr klein und verletzlich. Sie suchte mich, ich schaute sie an und sah dann zu Verena, die an der Bar stand.

Sonja folgte meinem Blick und begriff sofort. Ich hatte keine Angst vor einer Szene, es hätte keinen Grund für irgendeinen Skandal gegeben. Trotzdem wußte ich, daß er möglich war und daß er nicht geschehen würde, wußte ich ebenso. Ich sah Sonja hinterher, wie sie vor meinen Bildern auf und ab lief; das einzige, wodurch sie sich verriet, war die Tatsache, daß sie vor jedem Bild eine halbe Stunde lang stehenblieb. Ich saß auf meinem Stuhl, beobachtete sie und trank jede Menge Wein, zwischendurch kam Verena und redete irgend etwas von »stolz auf mich sein«. Es ging mir ganz gut, aber unter all dem spürte ich eine Unruhe, die mir fremd war. Sonja sah mich nicht noch einmal an. Nachdem sie vor dem letzten Bild eine Viertelstunde lang ausgeharrt hatte, marschierte sie entschlossen zur Tür und ging.

Im Juli fuhr Verena zurück nach Hamburg. Ich wurde ihrer nicht müde, ich war mir sicher, ein ganzes Leben mit ihr verbringen zu können, aber als sie fort war, vertrockneten die Fliedersträuße in der Küche, die Pfandflaschen sammelten sich wieder an, der Staub flirrte durchs Atelier, und ich vermißte sie nicht. Die Stadt war für Wochen in ein gelbes Licht getaucht, es war sehr heiß, und ich verbrachte Stunden damit, in meinem Zimmer nackt auf dem Holzboden zu liegen und an die Decke zu starren. Ich war nicht unruhig, nicht gereizt, ich war müde und in einem seltsamen Zustand der Emotionslosigkeit. Vielleicht rief ich Sonja deshalb doch noch einmal an, ich fand das Ganze eigentlich hoffnungslos, aber, mein Gott, es war Hochsommer, in meinem Hinterhof saßen die türkischen Frauen und rupften Gänse, die weißen Federn taumelten bis zu meinem Fenster empor; ich wählte Sonjas Nummer und ließ es zehn oder zwanzig Mal klingeln. Sie war nicht zu Hause. Jedenfalls ging sie nicht ans Telefon. Ich versuchte es wieder und wieder, ich hatte eine fast größenwahnsinnige Lust, sie zu quälen, sie leidend zu machen. Sonja entzog sich.

Sie entzog sich fast vier Monate lang. Erst im November bekam ich über die Galerie eine Karte von ihr zugeschickt, es war ein Schwarzweißfoto von irgendeiner tschechowartigen Gesellschaft, und auf der Rückseite stand eine Einladung zu einem Fest.

Ich putzte meine Schuhe, konnte mich lange nicht zwischen der Lederjacke und dem Mantel entscheiden, wählte die Lederjacke und ging gegen Mitternacht los; ich war nervös, weil ich wußte, daß ich niemanden auf diesem Fest kennen würde. Ich irrte lange durch das Industrieviertel, in dem Sonja damals lebte. Das Haus, in dem sie wohnte, stand zwischen einer Autoschrottpresse und einer Fabrik direkt an der Spree, es war ein graues, altes Mietshaus, und bis auf die hellerleuchteten Fenster im dritten Stock war es dunkel. Ich schwankte die Treppen empor; das Flurlicht funktionierte nicht. Ich war hin- und hergerissen zwischen albernem Gelächter und Verärgerung; ich empfand plötzlich all das wie eine Zumutung. Aber dann war ich oben angelangt, die

Wohnungstür stand offen, irgend jemand zog mich in den Flur, und dort stand Sonja. Sie stand an die Wand gelehnt, sie sah ein bißchen betrunken aus, sie lächelte mich an mit einem absolut siegesgewissen Gesichtsausdruck, und ich fand sie zum ersten Mal schön. Neben ihr stand eine kleine Frau in einem seetanggrünen, langen Kleid und mit einer unglaublichen Fülle von rotem Haar, und Sonja deutete auf mich und sagte: »Das ist er.«

Sie hatte vielleicht fünfzig Leute eingeladen, ich war mir sicher, daß sie mit den wenigsten wirklich befreundet war. Aber es war eine Zusammenstellung von Gästen, Gesichtern und Charakteren, die dazu führte, daß dieses alte Mietshaus an der Spree sich irgendwann von der Wirklichkeit zu lösen schien. Empfindungen dieser Art sind mir eigentlich fremd, doch manchmal – sehr selten – gibt es Feste, die man nicht vergißt, und Sonjas Fest war ein solches. Aus drei oder vier fast leeren Zimmern schien Kerzenlicht, irgendwo sang Tom Waits, ich war überhaupt nicht betrunken, und dennoch begann alles – zu schwimmen. Ich ging in die Küche und holte mir ein Glas Wein, und dann spazierte ich durch Sonjas Zimmer und führte eine Unzahl absonderlicher Gespräche mit einer Unzahl absonderlicher Menschen. Sonja schien überall zu sein. Wo auch immer ich war, stand sie an der anderen Seite des Raumes, vielleicht war auch ich immer dort, wo sie war. Sie hatte sich eine Menge Verehrer eingeladen, jedenfalls war sie ständig von einer wechselnden Gruppe junger

Männer umgeben, und sie hatte meist diese rothaarige Frau neben sich. Sonja trank Gläser voll Wodka und hatte immer eine Zigarette in der Hand; wir redeten mit irgend jemand und schauten uns dabei durch den Raum hinweg an. Ich glaube, wir wechselten fast kein einziges Wort miteinander. Es war nicht nötig, sie schien es schön zu finden, daß ich da war, und ich genoß es, mich in ihrer Wohnung zu bewegen und mir dabei von ihr zuschauen zu lassen.

Irgendwann sah ich sie mit einem sehr großen und merkwürdig ungelenken Mann an der Wohnungstür stehen, sie lehnte sich an ihn, ich spürte ein leises Ziehen im Magen, und vielleicht eine halbe Stunde später war sie weg. Sie war einfach verschwunden.

Vor den Fenstern wurde das Licht grau, ich lief durch die Zimmer und versuchte, sie zu finden, aber sie war nicht mehr da. Die kleine, rothaarige Frau kam auf mich zu, ihr Lächeln war genauso siegesgewiß wie Sonjas vor Stunden, sie sagte:

»Sie ist weg. Sie geht immer zum Schluß.« Also trank ich meinen Wein aus, zog meine Jacke an und ging ebenfalls. Ich glaube, ich hoffte, daß sie unten auf mich warten würde, ein wenig frierend, die Hände in den Taschen eines Wintermantels, aber natürlich wartete sie nicht. Die Spree war wie aus Stahl in diesem Morgenlicht, ich stolperte die Straße entlang; es war sehr kalt, und ich weiß noch, ich war sehr wütend.

Danach sah ich Sonja fast jede Nacht. Ich begann wieder früh aufzustehen, trank zwei Kannen Tee, duschte eiskalt, fing an zu arbeiten. Gegen Mittag schlief ich eine Stunde lang, trank dann Kaffee, las die Tageszeitung, arbeitete weiter. Ich war in einem gleichzeitig wilden und kalten Rausch der Bilder und Farben; ich hatte das Gefühl, niemals vorher so klar im Kopf gewesen zu sein. Sonja kam sehr spät am Abend; manchmal war sie so müde, daß sie an meinem Küchentisch einschlief, aber sie kam immer, und sie sah immer tapfer aus. Ich kochte für uns, wir tranken eine Flasche Wein miteinander, ich räumte das Atelier auf, während sie auf Strümpfen leise hinter mir herlief.

Ich wußte nicht, daß die Tatsache, daß ich sie in meine Wohnung und in mein Atelier ließ, daß sie an meinem Küchentisch und inmitten meiner Notizen sitzen konnte, daß ich vor ihren Augen Fotos entwickelte und kleine Zeichnungen malte, ein Geschenk für Sonja war. Auf ihre Art nahm sie mich sehr ernst. Sie betrat das Atelier mit einer fast sakralen Andacht, sie stand vor meinen Bildern mit der Ehrfurcht eines Museumsbesuchers, und sie setzte sich an meinen Küchentisch, als bekäme sie eine Audienz. Sie störte mich nicht, weil mir all das damals eigentlich nicht bewußt war. Sie ging mir nicht auf die Nerven, weil sie viel zu eigensinnig und zu zäh war. Ich bemerkte nicht, daß Sonja dabei war, sich in meinem Leben zu verhaken. Sie war für mich in diesen Nächten eine kleine, müde und von irgend etwas besessene Person, die mir auf ihre seltsame Art Gesellschaft leistete; die bei mir saß, mir zuhörte, mir ein eitles Gefühl von Wichtigkeit verlieh.

Sonja redete nie. So gut wie nie. Ich weiß bis heute nichts über ihre Familie, ihre Kindheit, ihre Geburtsstadt, ihre Freunde. Ich habe keine Ahnung, wovon sie lebte, ob sie Geld verdiente oder ob jemand sie aushielt, ob sie berufliche Wünsche hatte, wohin sie wollte, und was. Der einzige Mensch, von dem sie manchmal sprach, war diese kleine, rothaarige Frau, die ich auf ihrem Fest gesehen hatte; sonst erwähnte sie niemanden, erst recht keine Männer, obgleich ich sicher war, daß es genug davon gab.

In diesen Nächten redete ich. Ich redete wie zu mir selbst, und Sonja hörte zu, und oft schwiegen wir, und auch das war gut. Ich mochte ihre Begeisterung für bestimmte Dinge, für den ersten Schnee, über den sie außer sich geraten konnte wie ein Kind, für ein Orgelkonzert von Bach, das sie auf meinem Plattenspieler immer und immer wieder von vorne laufen ließ, für türkischen Kaffee nach dem Essen, U-Bahnfahren früh morgens um sechs, das Beobachten der Szenen hinter den hellerleuchteten Fenstern in meinem Hinterhof in der Nacht. Sie stahl Kleinigkeiten aus meiner Küche, wie Walnüsse, Kreiden und selbstgedrehte Zigaretten, und bewahrte sie in den Taschen ihres Wintermantels auf wie Heiligtümer. Sie brachte fast jeden Abend irgendwelche Bücher mit, die sie auf meinen Tisch legte, sie bat mich inständig, sie zu lesen, ich las sie nie und weigerte mich auf ihr

Nachfragen, mit ihr darüber zu sprechen. Wenn sie im Sitzen einschlief, ließ ich sie eine Viertelstunde lang schlafen und weckte sie dann mit der Distanz eines Schullehrers. Ich zog mich um, und dann gingen wir aus, Sonja an meinen Arm geklammert und fasziniert von unseren Fußspuren, den einzigen im frischgefallenen Schnee auf dem Hof.

Wir zogen von einer nächtlichen Bar in die nächste, tranken Whisky und Wodka, und manchmal löste sich Sonja von meiner Seite, setzte sich an einen anderen Platz an der Bar und tat so, als würde sie mich nicht kennen, bis ich sie unter Lachen zurückrief. Sie wurde ständig angesprochen, entzog sich aber immer und stellte sich mit stolzer Miene wieder neben mich. Mir war das völlig egal. Ich fühlte mich durch ihre seltsame Attraktivität geschmeichelt, ich beobachtete sie mit beinahe wissenschaftlichem Interesse. Manchmal, denke ich, hätte ich mir gewünscht, sie mit einem dieser Verehrer verschwinden zu sehen. Sie aber blieb in meiner Nähe, solange, bis es draußen hell wurde und wir die Bar verließen, die Augen gegen das graue und strähnige Morgenlicht zukneifend. Ich brachte sie zu einer Bushaltestelle und wartete, bis der Bus kam. Dann stieg sie ein, sah zittrig aus und traurig, ich winkte kurz und ging los, in Gedanken schon wieder bei meinen Bildern.

Heute denke ich, daß ich in diesen Nächten wohl glücklich war. Ich weiß, daß sich die Vergangenheit immer verklärt, daß die Erinnerung besänftigend ist. Vielleicht waren diese Nächte auch einfach nur kalt und in zynischer Weise unterhaltsam. Heute aber kommen sie mir so wichtig vor und so verloren, daß es mich schmerzt.

Verena war in dieser Zeit auf Reisen, sie fuhr durch Griechenland, Spanien, Marokko, sie schickte Karten von Palmenstränden und von Arabern auf Kamelen, und manchmal rief sie mich an. Wenn Sonja zufällig da war, stand sie auf und verließ den Raum; sie kam erst wieder, wenn ich ihr durch Rumoren und Stühlerücken zu verstehen gab, daß das Gespräch beendet sei. Verena schrie in den Hörer, die Verbindung war meist schlecht, ein Meeresrauschen und ein Wind, so schien es, und ich konnte mich damit über meine plötzliche Wortkargheit retten. Ich vergaß Verena nicht. Ich dachte an sie, ich schickte Briefe und Fotografien in ihre Hamburger Wohnung, ich freute mich über ihre Anrufe. Sonja hatte mit all dem nichts zu tun, hätte man mich gefragt, ob ich in sie verliebt sei, so hätte ich erstaunt und sicher geantwortet – nein. Verena meinte dennoch, Veränderungen feststellen zu können, sie schrie ins Telefon, daß ich ihr nichts mehr zu sagen hätte, sie wollte wissen, wie oft ich sie mit anderen Frauen betrog. Ich mußte lachen, und sie legte auf.

Im Januar kam eine Karte aus Agadir, auf der sie mir ihre Ankunft für Ende März mitteilte – *Ich komme im Frühling,* schrieb sie, *und dann bleibe ich lang.* Ich legte die Karte auf den Küchentisch und wartete, bis Sonja sie fand. Ich wußte, daß sie gewohnheitsmäßig, ohne unverschämt neugierig zu sein, die Zettel und Papiere auf meinem Schreibtisch durchblätterte. An diesem Abend sah ich ihr von der Tür aus zu, sie stand am Tisch, betrachtete ein Foto, malte mit meinen Kreiden herum, drehte sich eine Zigarette und sah dann die Karte, auf deren Vorderseite ein Feuerwerk abgebildet war. Sie las und ließ die Karte in der Hand; sie stand still, dann wandte sie sich zu mir um, als hätte sie gewußt, daß ich dastand und sie beobachtete.

»Tja«, sagte ich. Sie sagte gar nichts. Sie starrte mich einfach an, und ich bekam fast so etwas wie Angst. Wir gingen zusammen aus, und alles war falsch, ich fühlte mich schuldig und war wütend, ich hatte das Gefühl, ihr etwas erklären zu müssen, von dem ich nicht wußte, was es war. In dieser Nacht schlief sie das erste Mal bei mir. Ich hatte sie noch nie geküßt, ich hatte sie noch nie berührt, wir gingen nachts Arm in Arm durch die Straßen, und dabei blieb es. Sie zog sich eines meiner Hemden an, während ich im Bad war, als ich ins Zimmer zurückkam, hockte sie schon in meinem Bett und klapperte mit den Zähnen. Es war unglaublich kalt, ich legte mich zu ihr, wir lagen Rücken an Rücken, einzig die kalten Sohlen unserer Füße berührten sich wirklich. Sonja sagte: »Gute Nacht«, ihre Stimme war weich und klein, ich fühlte mich fürsorglich und auf eine unwirkliche Art gerührt. Ich war überhaupt nicht erregt, nichts hätte mir ferner gelegen, als jetzt mit ihr zu schlafen, dennoch war ich beleidigt, als ich an ihren ruhigen und gleichmäßigen Atemzügen bemerkte, daß sie schon eingeschlafen war. Ich lag noch lange wach, es wurde warm unter der Bettdecke, ich rieb meine Füße ganz sacht an ihren. Ich weiß noch, daß es wie inzestuös gewesen wäre, mit ihr zu schlafen, ihre Brüste zu berühren, ich fragte mich, wie es sein würde, Sonja zu küssen, dann schlief ich ein.

Am Morgen war sie fort, auf dem Küchentisch lag ein kleiner, abgerissener Zettel mit einem Gruß, ich ging ins Bett zurück und zog mir das Hemd an, das sie in der Nacht getragen hatte.

So verschwand sie wieder. Sie kam am nächsten Abend nicht und nicht am übernächsten. Ich wartete drei Abende lang, dann begann ich wiederum, sie anzurufen. Sie ging nicht ans Telefon, oder sie war tatsächlich nicht da. Ich fing an, am Tag durch die Stadt zu streifen, ich saß nutzlos in Cafés herum, von denen sie manchmal gesprochen hatte, ich stand Stunden vor dem alten Mietshaus an der Spree; sie blieb verschwunden. Hinter ihren Fenstern brannte niemals Licht, aber an der Tür stand noch immer ihr Name, und das Stück Papier, das ich zur Kontrolle manchmal unter den Türrahmen legte, war immer wieder verschoben. Auf ihre Weise entkam sie mir, und als es März wurde, war ich der Suche überdrüssig und begann, mich auf Verena vorzubereiten.

Ich räumte meine Wohnung auf und versuchte die Spuren von Sonjas Besuchen zu verwischen. Tatsächlich aber gab es überhaupt keine Spuren. Drei Monate mit einer müden, verwunschenen kleinen Sonja hatten nichts hinterlassen; ich suchte umsonst und ärgerte mich über mich selbst. Ich rief zum ersten Mal seit Ewigkeiten meinen Freund Mick an, wir gingen Billard spielen und Bier trinken, tanzten mit irgendwelchen Frauen und schlugen uns eine Woche lang durch sämtliche Bars der Stadt. Ich machte hin und wieder den Versuch, etwas von Sonja zu erzählen, dann brach ich ab – was eigentlich hätte ich erzählen sollen, ich wußte es selbst nicht.

Ende März schmolz der letzte Schnee von den Dächern und die Mauersegler kamen zurück. Ich schenkte den Türkenjungs einen neuen Fußball und schnitt mir die Haare kurz. Ich wartete auf irgend etwas, und als eines Abends Verena plötzlich vor der Tür stand, hörte ich auch damit auf. Ich war angekommen. Ich schlief abends neben Verena ein, ich wachte morgens neben ihr auf, ich flocht ihr Haar zu Zöpfen und schenkte ihr eine Espressomaschine. Sie schien länger bleiben zu wollen, und ich fragte sie nicht, wie lange. Ich arbeitete, sie spazierte durch die Stadt; am Abend gingen wir ins Kino und saßen in den kleinen Cafés am Ufer. Verena hängte ihre Sachen in meinen Schrank und fing an, in einer Bar um die Ecke zu arbeiten; wenn das Telefon klingelte, ging sie an den Apparat. Mick sagte, sie wäre so ziemlich das Schönste, was er je gesehen hätte, und ich stimmte ihm zu. Die Tage bekamen ihren eigenen, stetigen Rhythmus. Ich fühlte mich wohl, vielleicht glücklich, bestimmt sehr ruhig. Im Hof begannen die Linden zu blühen, und die ersten Sommergewitter zogen über die Stadt, es wurde heiß. Nur selten hatte ich auf der Straße das Gefühl, jemand liefe dicht hinter mir her; ich drehte mich um, und da war niemand, aber das Gefühl der Irritation blieb. Es gab Augenblicke, in denen ich mich nach etwas sehnte, von dem ich nicht genau wußte, was es war, ein Ereignis vielleicht, irgendeine Art der Sensation, der Veränderung, aber diese Sehnsucht verschwand ebenso schnell, wie sie gekommen war.

An einem Vormittag im Juni fuhren wir mit den Rädern zum Freibad unten an der Spree, Verena bezahlte für uns beide, behauptete, sie sei verrückt nach Wasser und lief barfuß vor mir über die Liegewiese auf der Suche nach einem freien Platz. Im winzigen Schatten einer Birke blieb sie triumphierend stehen, breitete ihr Handtuch aus, setzte sich hin. Direkt neben ihr saß Sonja.

Mein Herz schlug einen absurden Moment lang hoch, ich dachte flüchtig, daß dieses Schlagen wohl doch die ersehnte Veränderung sei, das Stolpern im Rhythmus. Ich blieb stehen und starrte von Verena zu Sonja, und Sonja blickte von dem Buch hoch, in dem sie las, und sah mich, und dann sah sie Verena.

Ich sagte: »Verena. Ich will hier nicht sitzen«, und schaute in Sonjas Gesicht, das auf eine seltsame Weise wie aufgerissen aussah. Sie hatte sich die Haare wachsen lassen, sie war braun in einem blauen Badeanzug und sehr dünn. Mir tat all das entsetzlich leid; Verenas Stimme kam von fern – »Das ist der beste Platz, den dieses Schwimmbad zu bieten hat.« Sie schien nichts zu merken, und ich spürte, daß mir der Kopf zitterte. Sonja stand sehr langsam auf, schlüpfte schlafwandlerisch in ein rotes Kleid und wandte sich zum Gehen. Verena redete irgend etwas, ich verstand sie nicht mehr. Ich hörte nur nichts Mißtrauisches in ihrer Stimme, also ließ ich meine Tasche neben ihre fallen und lief Sonja einfach hinterher. Ich holte sie am Ausgang des Schwimmbades ein. Sie ging rasch und gerade und sah von hinten aus wie ein kleiner, roter Stock. Ich rannte fast, dann war ich neben ihr und hielt sie am Arm fest. Ihre Haut glühte von der Sonne, sie drehte mir ihr verrückt ernstes Gesicht zu und sagte: »Wollen wir uns sehen oder nicht.«

Der Ton in ihrer Stimme war derselbe, in dem sie damals am Bahnhof gesagt hatte: »Soll ich warten«, ich fühlte mich wie ein Idiot und völlig durcheinander, und dann sagte ich: »Ja«, und sie sagte: »Na also«, machte sich los und lief durch das Tor hinaus auf die Straße. Ich schaute ihr hinterher, bis sie nicht mehr zu sehen war, dann kehrte ich zurück zu Verena, die sich auf dem Rücken liegend sonnte und nichts begriffen hatte. Das Gras war dort, wo Sonja gesessen hatte, zerdrückt; ich starrte auf die zwei, drei Zigarettenkippen, die sie hinterlassen hatte, und bekämpfte das Gefühl, die Kontrolle verloren zu haben.

Ich mußte Verena nicht fortschicken – ich hätte das auch nicht getan, ich hätte Sonja heimlich gesehen –, sie ging von selbst. Sie behauptete, mich in meiner Arbeitsphase, was immer das auch sein mochte, nicht stören zu wollen; sie packte ihre Sachen, kündigte in der Bar und fuhr zurück nach Hamburg. Ich glaube, sie war meiner für eine Weile überdrüssig geworden. Sie hatte sich vergewissern wollen, daß ich sie liebte, diese Gewißheit hatte sie bekommen, also ging sie wieder. Ich brachte sie zum Bahnhof, fühlte mich zerschlagen und selten sentimental; ich sagte: »Verena, irgendwann«, und sie lachte und sagte: »Ja.«

Dieser Sommer war Sonjas Sommer. Wir fuhren zum Rudern hinaus an die Seen, und ich ruderte Sonja über das spiegelglatte, schilfgrüne Wasser, bis mir die Arme schmerzten. Wir aßen am Abend in den kleinen Gaststätten der Dörfer – Schinkenplatten und Bier –, und Sonja bekam rote Wangen und ganz sonnenhelles Haar. Wir fuhren mit der Bahn nach Hause, Sträuße von Feldblumen im Arm, die Sonja alle mit zu sich nahm. Ich arbeitete selten, studierte die Landkarten der Umgebung und wollte in allen Seen schwimmen gehen, die es gab. Sonja schleppte immer einen Rucksack voller Bücher mit, las mir vor und rezitierte ein Gedicht nach dem anderen. Die Abende waren warm, wir zählten unsere Mückenstiche, und ich brachte ihr bei, auf einem Grashalm zu blasen. Der Sommer war eine Kette aus hellen, blauen Tagen, ich tauchte in ihn hinein und wunderte mich nicht. Wir verbrachten die

Nächte in Sonjas Wohnung, durch deren hohe, große Fenster man die Spree sehen konnte, wir schliefen nicht miteinander, wir küßten uns nicht, wir berührten uns kaum, eigentlich nie. Ich sagte: »Dein Bett ist ein Schiff«, Sonja antwortete nicht – wie immer –, aber sie sah den ganzen Sommer über wie eine kleine Siegerin aus.

Ende Juli, wir saßen auf dem winzigen und leeren Bahnhof von Ribbeck und warteten auf den Abendzug zurück in die Stadt, machte Sonja ihren Mund auf und sagte:

»Irgendwann wirst du mich heiraten.«

Ich starrte sie an und schlug eine Mücke auf meinem Handgelenk tot; der Himmel war rötlich, und über dem Wald lag ein blauer Dunst, ich sagte: »Was bitte?« und Sonja sagte:

»Ja. Heiraten. Wir werden dann Kinder kriegen und alles wird gut.«

Ich fand sie unglaublich blöd. Ich fand sie lächerlich und blöd, und nichts erschien mir absurder, als gerade Sonja zu heiraten und mit ihr Kinder zu bekommen, ich sagte:

»Sonja, das ist lachhaft. Gerade du solltest das wissen. Wie sollen wir das machen – Kinder kriegen? Wir schlafen noch nicht einmal miteinander.«

Sonja stand auf, zündete sich eine Zigarette an, kickte Steinchen und verschränkte die Arme vor der Brust: »Nun, zu diesem Zweck werden wir das eben tun. Nur zu diesem Zweck. Es wird gehen, ich weiß das.«

Ich stand ebenfalls auf, ich hatte das Gefühl, ein unvernünftiges Kind zur Räson bringen zu müssen: »Du bist völlig übergeschnappt, Sonja. Was soll dieser Blödsinn – alles wird gut? Was soll das heißen? Es ist alles gut, also werden wir nicht heiraten.«

Die Gleise begannen zu schwingen; ein hoher Ton lag in der Luft, ganz weit hinten erschien ein Zug. Sonja stampfte mit dem linken Fuß auf den Boden, warf ihre Zigarette weg und marschierte verbockt auf die Schienen zu. Sie sprang vom Bahnsteig, stolperte im Kies und stellte sich schließlich breitbeinig auf die Schienenstränge. Der Zug kam näher, und ich setzte mich wieder. Sonja schrie wutentbrannt: »Heiratest du mich, ja oder nein?« Ich mußte lachen und schrie zurück: »Liebste Sonja! Ja! Ich heirate dich, wann immer du willst!« und Sonja lachte auch, der Zug raste, die Luft roch nach Metall. Ich sagte ihren Namen, ganz leise und erschrocken, dann sprang sie vom Gleis zurück auf den Bahnsteig, der Zug dröhnte vorüber, und sie sagte:

»Ich will ja noch nicht jetzt, weißt du. Aber später. Später will ich schon.«

Im Herbst sahen wir uns seltener, und dann ging sie für eine Weile fort. Sie stand eines Morgens, schon im Wintermantel, vor meiner Tür und sagte: »Mein Lieber, ich muß verreisen und hätte gern noch eine Tasse Tee.«

Ich ließ sie herein, setzte Wasser auf, sie lief durch meine Wohnung und schien unruhig. Ich fragte sie, wohin sie fahren würde. Sie sagte, sie müsse arbeiten, einen Monat lang, dann käme sie wieder; sie wollte offensichtlich wie immer nichts erzählen. Wir tranken schweigend den Tee, dann stand sie auf, zog mich an den Händen hoch und umarmte mich.

Ich hielt sie fest, ich konnte mich nicht richtig wehren gegen ihren Ernst, sie sagte: »Gib auf dich acht.« Und dann ging sie.

Alles, was danach geschah, geschah aus Angst. Ich glaube, ich hatte Angst vor Sonja, ich hatte Angst vor der plötzlich so naheliegenden Möglichkeit eines Lebens mit einer seltsamen kleinen Person, die nicht sprach, die nicht mit mir schlief, die mich meist anstarrte, großäugig, von der ich kaum etwas wußte, die ich wohl liebte, letztendlich doch.

Ich hatte das Gefühl, ohne Sonja nicht mehr sein zu wollen. Ich fand sie unvermutet notwendig für mich, und ich vermißte sie. Ich fürchtete, sie käme nie mehr zurück, und gleichzeitig wollte ich nichts mehr, als daß sie fortbliebe, für immer.

Als der Monat verstrichen war, packte ich einen kleinen Koffer und fuhr nach Hamburg. Ich machte der völlig überraschten Verena einen atemlosen Heiratsantrag, und sie nahm ihn an. Ich blieb drei Wochen lang, reiste mit ihr zu meinen Eltern und verkündete unsere Hochzeit für den März des kommenden Jahres. Verena buchte eine Hochzeitsreise nach Santa Fe, stellte mich ihrer entsetzlichen Mutter vor und teilte mir mit, daß sie meinen Namen aber nicht annehmen werde. Mir war alles egal. Ich fühlte mich wie ein Ertrinkender und war gleichermaßen grenzenlos erleichtert. Ich hatte das Gefühl, einer unermeßlichen Gefahr im letzten Augenblick entronnen zu sein, ich wähnte mich gerettet, in Sicherheit. Wir stritten uns ein wenig über unseren zukünftigen Wohnort, Verena wünschte, daß ich nach Hamburg käme, ich sagte, von mir aus könne alles so weitergehen wie bisher, verheiratet oder nicht, und dann fuhr ich zurück nach Berlin.

In meinem Briefkasten war keine Post, im Atelier lag wie je der Staub auf den Bildern, und die Fenster waren mit Spinnweben überzogen. Keine Nachricht von Sonja. Ich war der Herr der Lage, ich hatte das Schlimmste verhindert, nun wollte ich gütig sein, schlichtend. Ich fuhr mit dem Rad zu ihrem Haus, trat kraftstrotzend in die Pedalen, stürmte die Treppen hoch, pfeifend. Sie war zu Hause, öffnete mir unkonzentriert und offensichtlich in Erwartung eines anderen die Tür, dann lächelte sie und sagte: »Dir geht es gut, ja?«

Wir setzten uns in eines der großen, fast leeren Zimmer, Sonja am Schreibtisch, ich auf einem Sessel am Fenster, die Spree draußen war ganz braun, und über der Autoschrottpresse segelten die Möwen. Sonja fragte mich nicht, wo ich gewesen sei. Sie erzählte auch nichts über ihre Reise, sie saß gerade und ein ganz klein wenig ängstlich aussehend an ihrem Tisch und rauchte fast besessen eine Zigarette nach der anderen.

Ich redete unbefangen über das Wetter, meine Pläne für den Winter, die neue Kunstausstellung in der Nationalgalerie; ich fühlte mich sicher. Sonja erwähnte das Fest, das sie in diesem November wiederholen wollte. Ich sagte, ich käme gern, und sie lächelte steif. »Fährst du mit mir fort, im Frühjahr?« fragte sie unvermittelt, und ich, der ich die ganze Zeit über und fast voll Vorfreude gewartet hatte, das endlich sagen zu können, formulierte meinen vorbereiteten Satz, laut, deutlich, gut artikuliert und vor allem höflich: »Das wird nicht gehen. Ich werde Verena heiraten, im März.«

Da schmiß sie mich raus. Sie stand auf, zeigte mit ausgestrecktem Arm zur Tür, und sie sagte: »Raus.«

Ich sagte: »Sonja, komm, was soll das«, und sie wiederholte: »Raus«, ohne das Gesicht zu verziehen. Ich fing an zu lachen, ich war nicht sicher, ob sie es ernst meinte, und dann schrie sie: »Raus!« mit einer Stimme, die ich überhaupt noch nie von ihr gehört hatte. Ich stand unsicher auf, ich wußte nicht mehr genau, womit ich eigentlich gerechnet hatte. Ich wollte überhaupt nicht gehen, ich wollte Sonja die Fassung verlieren sehen, ich wollte, daß sie heulte und weiterschrie und mich vielleicht schlug und was weiß ich.

Aber Sonja setzte sich wieder hin, drehte mir den Rücken zu und blieb still sitzen. Ich trat von einem Fuß auf den anderen, es blieb still, der Fluß war unerträglich braun. Ich atmete, und nichts geschah, und dann ging ich, schloß die Tür hinter mir, lauschte – nichts. Kein Ausbruch, kein unterdrücktes Weinen, Sonja rief mich nicht zurück.

Ich fuhr mit dem Fahrrad nach Hause, sehr langsam; ich war – erstaunt. Ich dachte, es würde wohl weitergehen, weitergehen, irgendwie.

Sonja meldete sich nicht, und damit, zumindest, hatte ich gerechnet. Dies war ein Spiel, ich kannte die Regeln. Ich wartete eine Woche lang, dann rief ich sie an, selbstverständlich ging sie nicht ans Telefon. Ich schrieb ihr einen Brief, dann einen weiteren, dann einen dritten; lauter kleine, alberne Plaudereien und hilflose Entschuldigungen. Selbstverständlich antwortete sie nicht. Ich blieb ruhig, ich kannte das ja schon, ich dachte: »Gib ihr Zeit.«

Ich rief sie regelmäßig drei Mal in der Woche an, ließ es zehn Mal klingeln, legte wieder auf. Ich arbeitete, telefonierte mit Verena, ging mit Mick aus, wählte Sonjas Nummer, so wie man sich die Zähne putzt oder jeden Morgen in den Briefkasten schaut. Ich war belustigt und stolz auf Sonja, stolz auf die Zähigkeit, mit der sie sich mir entzog; ich dachte nur, daß es langsam an der Zeit sei, wieder damit aufzuhören. Ich hatte Lust, sie zu sehen, es wurde kalt, der erste Schnee fiel. Ich dachte an den vergangenen Winter, an die Nächte, die sie bei mir gesessen hatte, und ich wollte all das wiederhaben.

Ich dachte: »Komm schon, Sonja, geh ans Telefon, laß uns spazierengehen, ich wärme dir die Hände, und alles bleibt so, wie es war.«

Aber Anfang Dezember lag in meinem Briefkasten der letzte Brief, den ich Sonja geschickt hatte. Ich betrachtete verwirrt meine eigene Handschrift und wußte nicht recht, wie ich das deuten sollte, bis ich auf der Rückseite den Stempel »Empfänger unbekannt verzogen« entdeckte. Ich stand ohne zu begreifen in meinem Hausflur, es war kalt, und ich fror. Ich legte den Brief in den Kasten zurück und fuhr mit dem Fahrrad, schlingernd im Schnee, am Fluß entlang ins Industrieviertel; ich fuhr langsam und vorsichtig und weigerte mich, irgend etwas zu denken. Vor Sonjas Haus schloß ich das Rad an einem Laternenpfahl an und schaute an den blinden, dunklen Fenstern empor. Keine Gardinen, kein Licht, aber das hatte noch nichts zu bedeuten. Die Haustür knarrte, als ich sie aufstieß; im Flur hing der Geruch von Nässe und Kohlenstaub. Ich hatte immer das Gefühl gehabt, daß Sonja hier völlig alleine lebte, und ich ahnte, daß das Haus nun ganz leer stand. Dennoch stieg ich die Treppen empor, im zweiten Stock war das Geländer weggebrochen, und die Stufen knackten bedenklich. Ich dachte an das Fest, an das Stimmengewirr, die Musik, an Sonja neben der kleinen, rothaarigen Frau im seetanggrünen Kleid. Das Namensschild neben ihrer Tür war abgerissen. Ich drückte auf die Klingel; es blieb still. Ich spähte durch das Schlüsselloch in den langen, weißgestrichenen, leeren Flur ihrer Wohnung hinein und wußte, daß sie fort war.

Ich bin mir sicher, daß man das Haus bald abreißen wird. Es ist Februar, ich lege unentwegt Kohlen in den Ofen, aber es will nicht warm werden. Ich habe Sonja nicht mehr wiedergesehen, und ich habe nichts mehr von ihr gehört. Die Linden auf dem Hof ticken mit ihren kahlen Zweigen gegen mein Fenster, es ist an der Zeit, für die Türkenjungs einen neuen Fußball zu kaufen. Ich warte darauf, daß ich irgendwann dieser kleinen, rothaarigen Frau begegne, um sie zu fragen, wo Sonja jetzt lebt und wie es ihr geht. Manchmal habe ich auf der Straße das Gefühl, jemand liefe dicht hinter mir her, ich drehe mich dann um, und da ist niemand, aber das Gefühl der Irritation bleibt.

Ende von Etwas

Sophie sagt: »Sie hat im letzten Jahr nur noch im Bett gelegen. Auf der linken Seite des Bettes, die rechte Seite war die Seite meines Großvaters, mein Großvater war fort, auf seiner Seite hat sie nie gelegen. Sie ist aus alter Gewohnheit früh aufgewacht, gegen sechs Uhr am Morgen, über den Dächern ein schmaler Streifen Himmel, Antennen und Schornsteine, auf den Regenrinnen die Tauben. Ich weiß nicht, ob sie das gesehen hat. Sie lag unter schweren Federdecken, den Kopf auf drei Kissen gebettet, an der Zimmerdecke Stuckrosen und die helle Glasschale einer Lampe. Rötliches Glas. Oder grünes. Ich bin nicht mehr sicher.«

Sophie sagt: »Entschuldige« und beißt sich auf die Lippen. Sie sieht zum Fenster hinaus, die Fenster des Cafés sind sehr groß, man kann den ganzen Helmholtzplatz überblicken, der ist jetzt leer, buckliges Kopfsteinpflaster, das glänzt vom Regen. Der Wind weht Blätter hoch, um die Ecke streicht ein grauer Hund. Sophie lächelt zum Fenster hinaus. Sie sagt: »Mein Vater kam um neun, machte Tee und ein weiches Ei, schnitt Brot und stellte all das auf den Nachttisch, den Tee aufs Stövchen, sie mochte das Kerzenlicht; und dann zeterte sie und keifte und verdächtigte ihn und klagte an, die Jahre und die Jahre, er antwortete nicht und ging. Wohnte nur

85

zwei Häuser weiter, also ganz nah, konnte im Sommer meiner Großmutter von Balkon zu Balkon zuwinken, sie winkte nie zurück. Sie aß, alleine, über den Dächern der Morgen, Antennen und Schornsteine, und dann legte sie sich wieder hin. Schaute ins Teelicht vom Stövchen, bis es erlosch. Lag so, bis es Abend wurde. Sie hat geschlafen und dann wieder wach gelegen, es mag sein, daß es da keinen Unterschied mehr gab, ein Ineinanderfließen der Stunden, das Licht, das durch das Zimmer gewandert ist, keine Uhr auf dem Tisch, gegen Abend der Streifen Himmel über den Dächern in Graublau, in Schwarz.«

Sophie sieht in den Himmel über dem Helmholtzplatz, als wolle sie vergleichen. Der Himmel über dem Helmholtzplatz ist blaß und regenschwer. Sophie wendet den Blick ab, schaut im Café umher, legt die Hände um die Kaffeetasse, sieht ohnehin verfroren aus. Sie kneift die Augen zusammen und räuspert sich, ihr Gesichtsausdruck ist eher kühl, distanziert, sie sagt: »Dann kam meine Mutter. Wärmte Essen auf, wusch Wäsche, heizte im Winter den Ofen, machte das Bett. Meine Großmutter zog Strickjacke an, Strümpfe und Pantoffeln und schob sich wie eine Schildkröte mit dem Gehgestell ins Wohnzimmer, sank dort aufs Sofa, schaltete den Fernseher an. Sie bekam eine Schachtel Zigaretten am Tag. Drei Büchsen Bier und drei Schnäpse, und immer versteckte sie die Bierbüchsen unter ihrem Hintern, tat so, als hätte sie noch keine bekommen, wollte einfach mehr Bier und sagte zu meiner Mutter, ihrer Tochter: ›Du mißgönnst mir alles.‹

Meine Mutter zerrte die Bierbüchsen wieder unter dem Hintern meiner Großmutter hervor und schwieg. Suchte in der Küche nach einem neuen Versteck für die Schnapsflasche, das meine Großmutter – nachts? Auf allen vieren? Unter Schmerzen, im Morgenlicht, mit zusammengebissenen Zähnen und ächzend? oder triumphierend? – doch immer fand.«

Sophie lacht jetzt. Ein bißchen. Sie lacht und schaut in ihre Kaffeetasse und sagt: »Man muß sich das vorstellen. Sie konnte nicht mehr laufen, nur noch kriechen und sich vorwärtsschleppen mit diesem Gehgestell, aber den Schnaps hat sie gefunden, wo auch immer er lag. Ganz hinten im Schrank, in einer Manteltasche am Garderobenständer, im Backofen, zwischen den Blumenkästen auf dem Balkon, sie fand ihn und trank ihn aus und stellte die leere Flasche vor die Wohnungstür. Ich glaube, sie sah das als eine Art von Spiel. Sie gewann es. Immer.«

Wird dunkel, draußen, beginnt zu regnen. Nieselregen, vielleicht schon Schnee. Jemand läuft am großen Fenster vorbei, Hände in den Manteltaschen, Schultern hochgezogen, läuft langsamer und sieht Sophie an, Sophie merkt es nicht. Sie sagt: »Ich würde gern Wein trinken«, sie sagt: »Ja? Gleich trinken wir Wein. Meine Großmutter jedenfalls hat dann gegessen, was meine Mutter ihr vorsetzte, sie aß seufzend und preßte immer die linke Hand auf den Busen, sie war dick und schwer, und ihre Finger waren von der Gicht gekrümmt. Meine Mutter saß neben ihr und beide schauten auf den laufenden Fernseher, und dann rauchten sie zusammen, und meine Großmutter sagte: ›Blaue Stunde.‹ Wenn meine Mutter ging, brach meine Großmutter in Tränen aus und wurde kindisch und böse und klammerte sich an sie, drohte und schrie, und meine Mutter setzte sich wieder hin und ging dann doch. Irgendwann in der Nacht, wenn es im Fernseher schneite und in der Straße alle Lichter ausgegangen waren, schob sie sich mit dem Gehgestell zurück ins Schlafzimmer. Setzte sich auf die Bettkante und starrte ins Dunkel und dachte, ich weiß nicht, was, legte sich hin und schlief dann ein. Tage und Tage. Im Sommer manchmal ein Bier auf dem Balkon, zwischen den Geranien, mit denen sie verschwörerisch flüsterte. Wir wuschen ihr einmal in der Woche die Haare, dann kauerte sie über der Wanne und kicherte und sagte: ›Es juckt so, das ist schön.‹ Sie machte ins Bett und lag dann weinend und unglücklich bis zum Abend. Aber manchmal sang sie und zwinkerte mit ihrem linken Auge und lachte über etwas, von dem wir nichts wußten, bis ihr die Tränen kamen. Sie hörte nie Musik. Lag in dieser Stille in ihrem Bett in den Kissen, in dieser Stille, die einmal laut gewesen war, als die zwei Kinder noch da waren und der Mann.«

Sophie sieht sich um. In dieser Stunde zwischen dem späten Nachmittag und dem Abend ist das Café ganz leer, auf den Tischen, an denen niemand sitzt, brennen Kerzen, die Kellnerin lehnt am Tresen, raucht eine Zigarette und hat die Augen halb geschlossen. »Hört sie uns zu?« flüstert Sophie, zieht ihren Stuhl näher an den Tisch heran, stützt das Gesicht in beide Hände. Die Kellnerin regt sich nicht. Gegen die Fensterscheiben schlägt der Regen, von draußen kommt das Wintergeräusch eines Automotors, der nicht anspringen will. Sophie sagt entschlossen: »Meine Großmutter verdächtigte in diesem letzten Jahr die ganze Welt. Sah Männer in der Ecke hinter dem Ofen stehen und versteckte ihr Portemonnaie unter der Matratze, im Nachtschrank, im Kissenbezug. ›Pack aus, was du da eingepackt hast!‹ schrie sie, wenn meine Mutter in der Küche das Essen warm machte, und dann zählte sie auf, was mein Vater jeden Morgen aus der Wohnung hinausschaffen würde – Pelze und Silber und Schmuck und die Orden der Großväter, Geld und Sparbücher und Töpfe und Kannen. Sie zerrte an der Jacke meiner Mutter herum und sagte: ›Klaujacke‹ und keuchte und rief nach der Polizei, und meine Mutter stand vor ihr, guckte nur, sagte nichts. Und meine Großmutter schob sich mit dem Gehgestell in die Küche, überprüfte Schränke und Schubladen, brach dann in Tränen aus und sagte: ›Ich will nicht mehr.‹ Aber sie lag den ganzen Tag im Bett und wartete.«

»Weißt du«, sagt Sophie, »das ist auch nicht leicht. Sich die Erinnerung zurückzuholen, Stück für Stück. Ich vergesse so schnell. Gesichter vor allem, ich vergesse immer Gesichter, ich vergesse sie eigentlich sofort, auch an das Gesicht meiner Großmutter kann ich mich nicht mehr erinnern. Sie fror immer. Trug auch unter den Federdecken Wolljacken, Schals, dicke Strümpfe. Sagte trotzdem: ›Ich will frische Luft‹, selbst im Winter mußten im Schlafzimmer alle Fenster offenstehen. Aber im Wohnzimmer standen kleine Heizlüfter um das Sofa herum und pusteten ihr heiße Luft ins Gesicht, und sie sagte: ›Ich weiß nicht, mir ist noch immer kalt.‹ Ihre Haare waren weiß. Sie ließ am Morgen das Eigelb über das Brot laufen und trank Tee schwarz, ohne Zucker. Es gab ein Telefon im Wohnzimmer und eines im Schlafzimmer, und manchmal rief der Sohn an und erkundigte sich aus der lichten Ferne seiner Vorstadtvilla nach der Gesundheit und der Schwester. Meine Großmutter lag in ihrem Urin und hatte Schmerzen und holte tief Luft, hielt sich mit leuchtenden Augen den Hörer ans Ohr und sagte ins Zimmer hinein: ›Gut, alles ist gut.‹«

Sophie steht viel zu schnell auf und geht auf die Toilette. Sie ist so dünn, ihre Beine in dicken Wollstrümpfen wie kleine Stöckchen. Sie geht ganz gerade, Schultern hochgezogen, im Rücken steif. Die Kellnerin sieht ihr hinterher und gähnt gelangweilt. Die Kaffeemaschine rauscht, niemand mehr im Raum, der Regen jetzt ein Wolkenbruch, auf dem Tisch verlischt die Kerze im Wachs. Sophie kommt zurück, setzt sich wieder, zündet sich eine Zigarette an, inhaliert tief, schaut dem Rauch hinterher. Sie sieht müde aus. Sie sagt: »Meine Großmutter hat die langen Zigaretten geraucht, lange, leichte Damenzigaretten, nie inhaliert und immer dem Rauch hinterhergeschaut. So wie ich. Oder ich wie sie. Sie hat gegen die Wand geklopft, mit der geballten Faust, wenn meine Mutter ihr zu langsam war. Einmal sich aufgerichtet im Bett und auf ihren Nacken gezeigt, in dem sich über Nacht die weißen Haare zu Locken gekringelt hatten, und gesagt: ›Dann stirbt man bald.‹ Manchmal auch, dann immer den Blick in den Himmel über den Dächern, über den Antennen gerichtet: ›Der liebe Gott will mich nicht.‹ Sie konnte ganze zwei Geschichten erzählen, oder vielleicht wollten wir auch nur zwei hören, die Kriegsgeschichte, die Russen schon vor Berlin und meine Großmutter mit den Kindern im Zug und auf der Flucht; der Zug hielt plötzlich, da war kein Bahnhof, kein Ort, und der sechsjährige Sohn mußte pinkeln, ›ganz unwahrscheinlich pinkeln‹ sagte meine Großmutter, wie unbeteiligt. Also ließ sie ihn raus, aufs offene Feld, da soll schon der Raps geblüht haben und der Tag war warm. Meine Großmutter wartete in der Waggontür, und der sechsjährige Sohn lief in den Raps hinein, rief Kindliches und pinkelte; da fuhr der Zug wieder an, viel zu schnell, zu unerwartet, und das Kind blieb im Raps zurück mit aufgerissenem Gesicht, soll einen blauen Matrosenanzug getragen haben. Das Ende dieser Geschichte kenne ich nicht, er ist jedenfalls nicht gestorben. Die Nachkriegsgeschichte, die Zweizimmerwohnung im Sommer, der Mann schon fort und auf dem Balkon die Geranien, meine Großmutter, wie je, in der Küche, die Tochter und der Sohn im Wohnzimmer, die Tochter und der Sohn schossen um sich mit Schleudern und Kieselsteinchen. Meine Großmutter schälte Kartoffeln, schnitt Kohl; ›Wetten, daß ich dir ein Auge ausschießen kann‹, sagte im Wohnzimmer die Tochter, meine Mutter, zum Sohn, ›Wetten, daß nicht‹, sagte der

Sohn, und die Tochter, die Schwester, zielte, schoß und traf. Die Tochter schrie. Der Sohn schrie nicht, die Tochter, meine Mutter, stand in der Küchentür und schlug die Hände vors Gesicht und flüsterte: ›Ich hab ihn ins Auge getroffen, ins linke‹, flüsterte das immer und immer wieder, und meine Großmutter stand auf, die Kartoffelschalen fielen zu Boden, die Kohlschnitze, lief ins Wohnzimmer, da stand der Sohn, und das Kieselsteinchen steckte mitten in seinem linken Auge, steckte da so wie ein steinernes Auge, ›da hab ich's rausgezogen‹, sagte meine Großmutter, ganz einfach. Der Sohn bekam Glasaugen, fünf kleine, braune Glasaugen zum Austauschen, wenn die Geschwister sich stritten, warf meine Mutter die Glasaugen durchs Zimmer und sagte: ›Such sie, Krüppel‹, meine Großmutter kicherte. Warum. Mehr Geschichten gab's nicht.«

Sophie sieht erstaunt aus. Nicht traurig, noch nicht. Sie reibt sich mit beiden Händen die Augen, drückt die Daumen auf die Lider, lächelt ansatzweise. Sie schaut die Kellnerin an, bis die sich langsam vom Tresen stemmt und zum Tisch geschlichen kommt, schlafwandlerisch, die Kellnerin streift sich die Hände an der Schürze ab, sagt nichts. Sophie sagt mit einer völlig fremden Stimme: »Ich hätte gern einen trockenen Rotwein«, und die Kellnerin schleicht zum Tresen zurück, hat sie das verstanden? »Man wird sehen«, sagt Sophie, sagt: »Meine Großmutter hat dann noch einmal die Wohnung verlassen, ein letztes Mal, da wurde die Enkelin, nicht ich, die andere, achtzehn Jahre alt, und der Sohn hatte

die Seeterrassen gemietet und einen Leierkastenmann bestellt und ein riesiges Buffet. ›Von allem etwas‹, sagte der
Sohn ins Telefon, und meine Großmutter lag in ihrem Bett
und schaute in den Himmel über den Dächern, den Antennen und sagte: ›Ja, ich komme gern.‹ – ›Du brauchst ein Geschenk‹, sagte meine Mutter, ›sie wird achtzehn, du mußt ihr
was schenken, gib mir Geld, und ich kaufe es für dich‹, und
meine Großmutter winkte ab, nachlässig und mit der linken
Hand und sagte, sie hätte schon ein Geschenk, keine Sorge.
›Woher hast du es‹, fragte meine Mutter, ›du kannst nichts
kaufen, du kannst die Wohnung nicht verlassen‹, meine
Großmutter wollte nicht antworten. Zählte die Tage. Ließ
sich die Haare waschen, das blaue Kleid aus dem Schrank holen, das Festtagskleid, sie sagte: ›So blau wie meine Augen
sind.‹ Zeterte nicht mehr. Sah meinen Vater an, am Morgen,
stumm, warf Geld aus dem Bett, Geldscheine aus den Ma-
tratzenritzen, den Kissenbezügen, sagte: ›Nehmt, ich will's
nicht mehr.‹ Wurde am Geburtstag der Enkelin von drei
Männern im Rollstuhl aus der Wohnung getragen und in
einen Bus verfrachtet, die Männer schwitzten, meine Großmutter saß im Rollstuhl wie eine Königin, hatte einen Korb
auf dem Schoß, im Korb das eingepackte Geschenk, ›Was ist
es?‹, sie schüttelte den Kopf, fast nachsichtig, sagte: ›Ach
wartet doch ab.‹ Wir fuhren im Auto dem Bus hinterher, und
ich konnte sie sehen, ich konnte ihren weißen Kopf sehen,
den sie ans Fenster preßte, manchmal wischte sie mit der
Hand die beschlagene Scheibe ab, sie sah hinaus, die ganze

Fahrt über, was hat sie gesehen? ich kann es nicht sagen. In den Seeterrassen schoben sie sie an die Spitze der Tafel, zwischen den Sohn und die Enkelin, alle waren sehr heiter und redeten auf sie ein und stellten Teller voll Essen vor sie hin und Wein, sie trank nicht, aß auch nicht. Gab der Enkelin das Geschenk, die saß neben ihr mit pflichtschuldig andächtigem Gesicht, am Tisch wurde es still, der Sohn lachte, die Großmutter macht der Enkelin ein Geschenk. Die Enkelin zerriß vorsichtig das Papier, tastete, zögerte dann, zog das Papier ganz herunter, hielt einen gelben Topfdeckel in der Hand, an den Rändern schon ein bißchen angeschlagen. ›Was ist das?‹ sagte sie, ein Rätsel, ein Symbol, sie war achtzehn Jahre alt und lächelte meine Großmutter an. ›Der Deckel von dem Topf, den ihr mir gestohlen habt‹, sagte meine Großmutter, ›so wie ihr mir alles gestohlen habt.‹ Und dann hob sie ganz langsam die Hand und legte sie auf ihr linkes Auge und wandte sich zu ihrem Sohn und sah ihn an, mit ihrem rechten Auge, das war wirklich so blau wie ihr Festtagskleid.«

Die Kellnerin stellt den Wein auf den Tisch und starrt Sophie an, Sophie starrt nicht zurück. Sie sagt: »Danke« und nimmt einen großen Schluck aus dem Glas, wischt sich den Mund mit dem Handrücken ab. Die Tür geht auf, Wind weht herein, Regengeruch, zwei, drei Gäste in nassen Mänteln und mit roten Gesichtern. Sophie dreht sich nicht um. Friert auch nicht mehr, hat jetzt rote Wangen, und die Müdigkeit um ihre Augen herum ist weg. Sie sagt: »Ich bin gleich fertig.

Die Geschichte ist gleich fertig, zu Ende, dauert nicht mehr lang, kannst du noch? Sie haben sie später, in der Nacht, noch einmal im Rollstuhl zum See herunter gefahren. Da saß sie und starrte ins Dunkel, am anderen Ufer so kleine Lichter und das leise Schlagen der Wellen, ›Was soll das‹, sagte meine Großmutter, und sie brachten sie mit dem Bus zurück nach Hause. Sie ließ sich ins Bett legen und drehte sich weg und sagte zu meiner Mutter, die stand in der Tür, ›Gute Nacht‹. Am Morgen kam mein Vater, machte Tee und ein weiches Ei, schnitt Brot und stellte all das vor sie hin, den Tee aufs Stövchen, das Eigelb schon aufs Brot; ›Das Teelicht‹, sagte meine Großmutter, ›das Teelicht‹, mehr nicht. ›Das ist doch angezündet‹, sagte mein Vater, ›schau, es brennt‹, und meine Großmutter sagte: ›Ja‹ und machte die Augen zu. Mein Vater ging. Ging einkaufen, ging dann nach Hause. Hörte das Telefon schon auf der Treppe läuten, es läutete un-aufhörlich, und mein Vater schloß die Wohnungstür auf, ließ die Einkaufstüten fallen, nahm den Hörer ab und sagte: ›Hallo?‹, bekam keine Antwort. Lauschte in den Hörer hinein, wollte schon wieder auflegen, hörte dann doch etwas, aus sehr weiter Ferne, wirklich weit weg. Ein Weinen? oder Schreien? einen Schmerzenslaut? tatsächlich ein Prasseln, ein Knacken, etwas ganz Unwirkliches, warum wußte er plötzlich, ich weiß es nicht. Er ließ den Hörer fallen und lief aus der Wohnung, die Treppen hinunter und hinaus auf die Straße, es war Februar, so wie jetzt und kalt, mein Vater lief schnell. Zwei Häuser weit. Er rannte. Stieß die Haustür auf, rannte die drei Treppen hoch, er zitterte wohl und hatte auch Angst, die Wohnungstür klemmte, ich glaube, der Schlüssel muß ihm hinuntergefallen sein, drei oder vier Mal. Er stemmte sich gegen die Tür, die Tür ging auf, der Flur so klein, da roch was, die Tür zum Schlafzimmer nur angelehnt und dahinter ein heller Schein. Ich weiß jetzt nicht, sind es vier Schritte oder fünf ins Schlafzimmer hinein, mein Vater stand auf der Schwelle und sah meine Großmutter, die brannte lichterloh. War aus dem Bett gekommen, irgendwie, war in der Mitte des Zimmers, vor dem Bett, das Bett brannte, das Nachthemd meiner Großmutter brannte, ihre Strümpfe, ihr Schal, ihre Haare, ihr Gesicht und ihre blauen Augen; sie brannte lichterloh und schrie nicht mehr, der Himmel über den Dächern, den Antennen, grau und rauchig, sie habe, sagte mein Vater später, er wüßte nicht, aber sie habe, so brennend, tatsächlich getanzt«, sagt Sophie, weint nicht, lächelt verlegen.

Bali-Frau

Der Winter erinnert mich manchmal an etwas. An eine Stimmung, die ich einmal hatte, an eine Lust, die ich empfand? Ich weiß es nicht genau. Es ist kalt. Es riecht nach Rauch. Nach Schnee. Ich drehe mich um und lausche auf etwas, das ich nicht hören kann, ein Wort liegt mir auf der Zunge, ich kann es nicht sagen. Eine Unruhe, weißt du? Du weißt. Aber du würdest sagen, alles, was namenlos ist, soll man nicht benennen.

Christiane jedenfalls hat an diesem Abend, an dem du nicht mitkommen wolltest, vor mir getanzt. Sie drehte das Radio auf und tanzte zu *Never known a girl like you before*, Cheerleadergesicht, offenes rotes Haar, sie lachte, sie sah sehr schön aus. Markus Werner trug den Pelzmantel seiner Großmutter und Abwaschhandschuhe aus rosafarbenem Plastik, der Pelz war räudig. »Du bist so albern«, sagte Christiane, und Markus Werner schob das Kokain auf dem Taschenspiegel zu kleinen Straßen zusammen, sah ihr nicht zu. Ich war nicht müde. Ich saß, an ihn gelehnt, auf dem Sofa, sein Pelz war naß vom Schnee und roch komisch, ich sah Christiane zu, wie sie sich ihren Mund mit pflaumenfarbenem Lippenstift ausfüllte, ihr Mund war so groß und der Lippenstift spitz wie eine Feder. Markus Werner blickte von seinem Taschenspiegel auf und sah nirgendwo hin.

Wo warst du? Ich hatte dich angerufen, du hast vor dem Fernseher gesessen und gesagt, du hättest die falschen Drogen genommen, du klangst müde und gereizt und wolltest nicht mitkommen. Ich sagte: »Christiane hat sich verliebt«, du sagtest: »Das ist nichts Neues«, dann schwiegen wir, ich konnte die kleinen Stimmen aus dem Fernseher hören, Kriegsgeräusche, Fliegeralarm; ich wußte, daß es kalt war in deinem Zimmer, an den Fenstern Eisblumen. Du hast aufgelegt.

Die Stimme von Edwyn Collins klang brüchig, ich rauchte drei Zigaretten hintereinander, »Wer ist es diesmal«, sagte Markus Werner beiläufig, seine Plastikhandschuhe machten ein klebriges Geräusch. »Ach halt die Klappe«, sagte Christiane und sah sich im großen Spiegel von der Seite an, Hand in die Hüfte gestützt, Blick von unten, sie hatte kleine blaue Schatten unter den Augen, sie sah toll aus, sagte: »Wir werden Spaß haben«, küßte mich auf den Mund. Ich klammerte mich an Markus Werners Arm und flüsterte ihm ins Ohr, Christiane schien mich nicht daran hindern zu wollen, ich flüsterte: »Es ist ein bedeutender Regisseur. Wirklich bedeutend, weißt du. Er ist verheiratet. Wir gehen auf sein Premierenfest, es gibt Essen, Wodka und alles, du, wir werden Spaß haben«, und Christiane lachte und zog mich von ihm weg.

Draußen war es sehr kalt. Ich dachte an dich in deinem Zimmer, auf dem Sessel vor dem Fernseher, ich wußte, du würdest nicht wirklich irgendeinen Film sehen, sondern so sitzen, im Halbdunkel, und vor dich hin starren; ich war nicht enttäuscht und nicht beleidigt, ich war ein wenig traurig, ja, vielleicht. Es war wirklich kalt. Es roch nach Schnee, und unsere Stimmen auf der leeren Straße klangen so komisch hohl, daß wir nichts mehr sagten; das Licht der Straßenlaternen war wie festgefroren. Christiane fiel mit ihren Absatzschuhen hin, ich sah Markus Werner an, wir halfen ihr nicht auf. Wir nahmen an der Kreuzung ein Taxi, »Ins Theater« sagte Christiane, kurbelte das Fenster herunter und drehte das Radio auf. Der Taxifahrer grimassierte und sagte nichts. Vor dem Theater wehten rote Fahnen, und die Türen standen offen, Markus Werner beugte sich vor und sagte: »Dieses Stück, das hier heute abend gelaufen ist …?« und Christiane winkte ab. »Worüber willst du mit ihm sprechen, wenn nicht über das Stück?« sagte Markus Werner und kicherte. Christiane zog mit den Händen sein Gesicht an ihres heran und sagte sehr deutlich: »Ich will überhaupt nicht mit ihm sprechen. Verstehst du?«

Ich habe mich an der Tür noch einmal umgedreht. Ich habe ein letztes Mal gedacht, zurückzugehen und zu dir zu kommen und mich neben dich vor deinen Fernseher zu setzen. Ich hätte den Fernseher ausgemacht, ich hätte dich angeschaut, es hätte ganz einfach sein können. Ich war so unentschlossen und holte tief Luft, und dann lief ich Christiane und Markus Werner hinterher.

Im Sternenfoyer waren lange Tische aufgebaut, es gab unwahrscheinliches Essen und Kühlschränke voll von Wodka und vereisten, kleinen Gläsern, sie hatten eine russische Blaskapelle engagiert und Rotlicht eingeschaltet. »Jetzt«, sagte Christiane und verschwand. Ich holte Brot und Fisch vom Buffet, und Markus Werner steckte Wodkaflaschen und Gläser in seine Manteltaschen, er trug noch immer diese rosafarbenen Plastikhandschuhe und niemand beachtete ihn. Wir setzten uns auf die Treppe und aßen, ich trank den Wodka in großen Schlucken, und mir wurde warm, Markus Werner saß unruhig und wischte sich ununterbrochen die Nase ab. Ich sagte: »Du kokst zuviel«, und er sagte: »Wo ist er, dieser Regisseur.« Der Regisseur stand an der Bar. Er war groß und dick und verkommen, er rauchte eine Zigarre und trank Whisky, er hatte diesen verlotterten Altmännersex, dem Christiane sich nie entziehen konnte, und er war berühmt. Ich deutete mit dem Finger auf ihn und sagte: »Das ist er«, und Markus Werner brach in hysterisches Gelächter aus und sagte: »Natürlich.« Ich sah den Regisseur an, ich dachte an die zahllosen Regisseure und Dramatiker und Schauspieler und Bühnenbildner, die an Christianes und meinem Küchentisch gesessen, unter unserer Dusche gestanden, in unseren Betten gelegen hatten, ich dachte an ihre Stimmen auf unserem Anrufbeantworter, an ihre nächtlichen Schläge gegen unsere Tür, an die zerschmissenen Gläser und ungelesenen Briefe; ich dachte, daß immer irgend etwas nicht genug war, auch diesmal würde irgend etwas nicht genug sein, ich dachte an dich, an die Eisblumen, an den Rauchgeruch, ich dachte, auch wir sind nicht genug.

Christiane trat auf. Sie mußte noch einmal vor einem Toilettenspiegel gestanden haben, denn sie hatte sich ihr Haar jetzt zu diesem Knoten geschlungen, von dem ich wußte, daß sie ihn irgendwann mit einem Nadelziehen lösen würde, um dann ihr Haar in einer mich müde machenden Welle über ihren Rücken fluten zu lassen. Sie trat am Rand des Sternenfoyers auf, pendelte ein wenig zwischen den Säulen herum, näherte sich der Bar und lief wieder davon, zündete sich eine Zigarette an, blickte um sich mit gesenkten Lidern. Die Band spielte Ween, *Buenas Tardes, Amigos*. Markus Werner wischte sich die Nase mit den Plastikhandschuhen und die Plastikhandschuhe an seinem Pelz ab und sagte: »Ein echter Verratssong.« Christiane wippte ein wenig mit dem Kopf, knickte in der Hüfte ein und wiegte sich einen kurzen Moment, dann stieß sie auf die leere Tanzfläche vor, genau in die Mitte, stellte sich auf den großen Stern, und der Kronleuchter überschüttete sie mit rotem Licht. Der Regisseur hatte die ganze Zeit blicklos auf die Tanzfläche gestarrt, jetzt wandte er sich ab. Und als er sich ziemlich bald, eigentlich sofort, wieder zur Tanzfläche drehte, sah er Christiane an. Und Christiane tanzte, Cheerleadergesicht, die Hände in den Hüften, legte den Kopf in den Nacken und schien zu lachen, der Schlitz in ihrem Kleid reichte bis zum Ansatz ihres Hinterns. Markus Werner kicherte ununterbrochen, ich wußte nicht, ob das am Koks lag oder an Christianes Tanz, ich mußte lachen und sagte: »Aber sie kann es. Sie kann es einfach.«

Sie tanzte lange. Hob irgendwann die Hand an den Kopf und löste den Knoten, ihr Haar flutete ihren Rücken herab, und Markus Werner barg den Kopf zwischen den Knien und sagte: »Ich halt's nicht aus.« Der Regisseur war ein kleines, verschwommenes, dickes Häufchen Gier. Ich tauchte weg. Ich trank Wodka und starrte in die Lichter des Kronleuchters, mir war ein bißchen schwindlig, und ich dachte an all die Nächte, in denen wir uns zusammen betrunken hatten, du und ich an den Holztischen in den beliebigen Bars, immer war es Winter, war draußen Schnee und wurde es nie hell. An die Sommer erinnere ich mich nicht. Wieso nicht. Ich habe versucht zu verstehen, warum es vorbei ist mit uns, und ich wußte, daß es da nichts zu verstehen gab. Ich habe an dich gedacht, an dein Zimmer, das Blaulicht des Fernsehers, die halbgerauchte Zigarette in deiner linken Hand, ich habe gedacht, daß du all das schon viel länger weißt, du hättest etwas sagen können, was, irgendwas.

Markus Werner stieß mich an und sagte: »Schau dir das an, hey, wo steckst du denn, du mußt dir das anschauen«, und ich sah auf die Tanzfläche, da tanzte Christiane noch immer, und mit ihr tanzte eine andere Frau. Die Frau war ganz klein und dünn, sie sah aus wie ein Kind, ein frühreifes Kind, ihre Haut war dunkel, und ihre Haare waren schwarz. Sie trug ein rotes Kleid, und wenn sie sich drehte, konnte man ihren nackten Hintern sehen und ihre Scham. Sie drehte sich unentwegt, und ihre kleinen Hände flatterten wie Vögel um sie herum, sie tanzte barfuß, und ihr Tanz war ganz anders als Christianes Tanz. Christiane geriet aus dem Rhythmus. Sie versuchte, ihr Cheerleadergesicht, ihren Hüftschwung, den abgezirkelten Takt ihrer Beine, ihre Kühle gegen die weiche Bewegung dieser Frau zu setzen, und es gelang ihr nicht. Sie sah zuviel. Die kleine Frau hatte die Augen geschlossen und schien völlig abwesend, die schwarzen Haare verdeckten ihr Gesicht. Markus Werner starrte mit offenem Mund und zündete sich dann eine Zigarette an, wie jemand, der sich konzentrieren muß. Er wandte sich abrupt zu mir um und sagte sehr sachlich: »Wer ist das denn?« und ich sagte: »Das ist seine Frau. Die Frau des Regisseurs. Sie kommt aus Bali, sie haben auf Bali geheiratet.«

Sie hätte dir gefallen, diese kleine Frau. Sie war so unantastbar, wie du es immer geliebt hast, sie war ganz fern, und man konnte sie betrachten und sich Geschichten über sie ausdenken. Sie sah verletzlich aus und schön, sie hatte ganz winzige Füße, und sie war so unwirklich in diesem Foyer, auf diesen Marmorplatten, unter dem Licht des Kronleuchters. Christiane verließ die Tanzfläche und ging an die Bar. Der Regisseur stellte sich neben sie, er sah seine Frau nicht an, er sah Christiane an, die bestellte ein großes Glas Whisky. Die kleine Frau tanzte weiter, und ich wußte, daß der Stein unter ihren Füßen sehr kalt war. Markus Werner sah mich an und sagte: »Wollen wir uns unterhalten«, ich sagte: »Nein.« Er stand auf und ging weg. Ich trank weiter, für mich. Es wurde sehr spät. Ich konnte den Schnee sehen hinter den großen Scheiben, dicke, sacht fallende Flocken. Irgendwann torkelte Markus Werner zwischen den Säulen herum, er war völlig betrunken und hatte – weiß der Himmel woher – ein Megaphon in den Händen, er schrie durch das Megaphon immer dasselbe, ich konnte nicht ein Wort verstehen. Ich lehnte meinen Kopf an das Treppengeländer und beobachtete ihn. Ich dachte daran, daß ich ihn noch nie am Tag gesehen hatte, und ich fragte mich, ob ich mehr über ihn wissen wollte, als daß er im Winter diesen Pelzmantel und im Sommer die orangenen Jacken der Müllmänner trug. Er ging drei Mal in der Woche mit mir und Christiane aus, ich mochte ihn, hätte ich je von ihm gesprochen, ich hätte tatsächlich gesagt: »Ein Freund.« Nahm ich ihn ernst? Nahm er mich ernst, wollte er etwas, wenn er sich mit mir unterhalten wollte, worüber denn? Ich erinnerte mich daran, daß er einmal, sehr kindlich, gesagt hatte: »Ich könnte einen Film machen, über uns«, ich hatte gesagt: »Was sollte das für ein Film werden«, er hatte geantwortet: »Ein Film darüber, daß gar nichts ist, daß es nichts mehr gibt, nichts zwischen uns und nichts um uns herum, nur so eine Nacht mit dir und mir und Christiane«, und ich hatte wirklich abfällig gelacht. Ich beobachtete ihn, er war viel zu jung, er war bekokst und besoffen, er brüllte in sein Megaphon, daß ihm die Halsschlagader anschwoll, und die Leute gingen ihm aus dem Weg. Er tat mir leid, und ich dachte, daß ich ihn nie, nie mehr wiedersehen wollte. Ich unterdrückte den Impuls, aufzustehen, zu ihm hinüber zu gehen, ihm dieses Megaphon wegzunehmen und ihn zu küssen. Auf dem Stern in der Mitte der Tanzfläche hockte ein Mädchen und schlug immerzu den Kopf auf den Boden, ihre Stirn war blutig, und sie weinte und redete wirres Zeug. Das Buffet war leer. Auf dem roten großen Sofa vögelte eine Schauspielerin mit einem Bühnenarbeiter, der Bühnenarbeiter schwitzte und auf dem Rücken seines T-Shirts, an dem die Schauspielerin wie verzweifelt riß, war Mike Tyson abgebildet, der Holyfield ins Ohr biß. Die kleine Frau war weg, der Regisseur war weg, Christiane war weg. Es schneite noch immer und irgend jemand warf Gläser an die Wand, zwei unwirkliche Krüppel in Rollstühlen fuhren über die Tanzfläche und verschwanden hinter den Säulen. Die Schauspielerin zog sich den Rock runter, stolperte auf die kleine Bühne und sagte: »Für Baby« in ein übersteuertes Mikrofon hinein, sie sagte: »Für Baby, für Baby«, dann fiel sie hin. Ich schloß die Augen. Ich hörte Markus Werner, ich verstand ihn noch immer nicht. Ich schlief ein. Ich wachte wieder auf, weil Christiane vor mir stand und mich am Arm riß, sie sah noch immer aus wie vor Stunden, wie in der Wohnung, auf der Straße, im Taxi, sie sah so winterlich aus, so kühl, so kalt, ihr Mund frostig und schmal. Sie schüttelte mich und sagte: »Steh auf. Wir müssen los, wir gehen noch wohin, wo ist der Werner, was machst du hier überhaupt«, sie sagte das nicht schnell und fahrig, sondern sehr ruhig und konzentriert. Ich richtete mich auf und hielt sie fest, ich sah ihr in die Augen, ihre

Augen waren eisblau. Ich sagte: »Christiane. Wie steht es denn«, und sie sah mich an und sagte: »Beschissen. Es steht beschissen. Aber wir fahren da jetzt trotzdem hin.«

Bist du neidisch? Ein ganz klein wenig? Ein bißchen gespannt und aufgeregt – wohin denn? wohin gehen die denn jetzt? Du wärst nach Hause gegangen. Nein, du bist nicht neidisch, bist es nie gewesen. Wir suchten Markus Werner und fanden ihn auf der Toilette, er stand vor dem Waschbecken, spülte sich irgendwas von seinen Plastikhandschuhen, und aus einer Kabine klang eine weinerliche Mädchenstimme, die: »Was ist denn, warum hörst du denn jetzt auf, ich versteh das alles nicht« sagte. Christiane verzog angewidert das Gesicht, trat die Kabinentür mit dem linken Fuß zu und Markus Werner drehte sich um und sagte viel zu leise: »Muß das so sein.« – »Sie wartet«, sagte Christiane. »Sie wartet, und wir müssen jetzt los, sofort«, und Markus Werner sah plötzlich hilflos und überfordert aus und sagte bittend: »Wer wartet. Wer wartet denn.« Christiane, schon auf dem Flur, drehte sich gereizt noch einmal um und schrie dann: »Die Bali-Frau. Die Bali-Frau wartet.«

Die Uhr vor dem Theater war auf elf stehengeblieben. Der Schnee lag in einer dicken Schicht auf der Straße, auf den Autos, den Laternen, die Welt war still und dröhnte mir in den Ohren. Die Bali-Frau stand noch immer barfuß, ohne Mantel, im roten Kleid neben einem Taxi und hielt uns die Tür auf. Christiane stieß Markus Werner ins Auto, das Megaphon fiel in den Schnee, sie stieß mich hinterher und stieg dann selber ein. Markus Werner flüsterte: »Deine Augen, kleine Schwester, sprengen mir das Herz«, ich wußte nicht, wessen Augen er meinte, und ich fragte mich kurz, ob es dieser Satz gewesen war, den er den ganzen Abend über durch sein Megaphon geschrien hatte. Die Bali-Frau setzte sich auf den Beifahrersitz, drehte sich um und lächelte uns an. Ich lächelte zurück. Das Taxi fuhr los, ich beugte mich zu Christiane und sagte leise: »Wohin also. Wohin fahren wir jetzt«, und Christiane, den Blick aus dem Fenster gerichtet, sagte: »Zu ihm. Oder zu ihr. Wir fahren in ihre Wohnung, er ist schon da, sie will, daß wir jetzt mitkommen.« Ich sagte: »Warum will sie das?« und Christiane zuckte mit den Schultern, ich sagte: »Warum willst du das?« und sie sagte: »Das ist doch völlig egal.«

Auf dem Balken über deiner Tür liegt der Schlüssel zu deiner Wohnung. Ich weiß das. Ich könnte mich im dunklen Treppenhaus auf die Zehenspitzen stellen, ihn mit den Fingern ertasten und herunterholen, ins Schloß stecken, leise aufsperren. Ich könnte durch den Flur in dein Zimmer gehen, du hättest den Fernseher jetzt ausgeschaltet und wärst schlafen gegangen, ich könnte neben deinem Bett stehenbleiben, dich betrachten, wie du so schläfst, mich zu dir legen, du würdest nichts merken. Aber dieser Schlüssel liegt da nicht für mich. Das weiß ich auch. Er liegt da für diese eine Person, über die wir nie gesprochen haben, er liegt bereit für sie, wenn es soweit ist, wird sie sich auf die Zehenspitzen stellen, ihn ertasten, die Tür aufsperren, ihre Koffer neben dein Bett stellen und dich wecken. So ist es doch, nicht wahr? Du wartest. Du kennst sie nicht, diese Person, aber du weißt, sie wird kommen, und darauf wartest du, du sitzt und siehst die Eisblumen und wartest. Ich warte auch.

Die Bali-Frau jedenfalls hatte keinen Schlüssel. Sie hatte für ihre eigene Wohnung keinen Schlüssel, oder sie tat so, als hätte sie keinen. Wir standen vor ihrer Wohnungstür, und sie hielt ihren kleinen, braunen Daumen fest auf die Klingel gedrückt, die Klingel schrillte, Markus Werner lungerte auf dem Treppenabsatz herum, wischte sich die Nase ab und sagte erschöpft: »Ich kann nicht mehr.« Die Bali-Frau drehte sich zu ihm um und lächelte ihn an, sie hatte bisher noch kein einziges Wort gesagt, und ich konnte sehen, daß ihre Vorderzähne bis auf einen kleinen Rest abgeschliffen und ganz gerade waren. Markus Werner lächelte gequält zurück und sagte überdeutlich: »Vielleicht sollten wir besser wieder gehen?« und dann ging die Tür auf, und im Dunkel des Flurs standen kleine Kinder. Vier oder fünf winzige Kinder in Schlafanzügen, barfuß, mit zerzausten Haaren. Sie starrten uns an, und wir starrten zurück, die Kinder sahen nach einer grotesken Mischung ihrer Eltern aus, sie hatten die dicke, schwammige Körperlichkeit ihres Vaters, aber ihre Augen waren so dunkel, schmal und eigen wie die ihrer Mutter. Die Bali-Frau trat in dieses Gewimmel aus Schlafanzügen, Stofftieren und weichen Kinderhänden hinein, die Kinder klammerten sich an sie und redeten in einer fremden Sprache auf sie ein. Markus Werner sah Christiane an und sagte: »Hast du das gewußt?« und Christiane, zum ersten Mal überfordert, sagte: »Nein. Das habe ich nicht gewußt.«

Wir sind im Flur der Wohnung des Regisseurs zwei Mal auf verschiedene Hamster getreten. Die Hamster gaben gräßliche Geräusche von sich, und die Bali-Frau lachte, hob sie auf und warf sie in eines der vielen Zimmer hinein. Die Kinder lugten noch einmal durch einen Türspalt und verschwanden dann. Der Regisseur war nicht zu sehen, die Wohnung war dunkel, die Bali-Frau führte uns in die Küche, zündete Kerzen an, stellte Wasser auf. Wir waren verlegen, setzten uns an den Küchentisch, ich wollte neben Markus Werner sitzen, Christiane wollte neben mir sitzen, wir ruckten ganz lange herum, das Gefühl der Scham war so deutlich. Schließlich saßen wir. Die Küche war groß und warm, vor den Fenstern die Nacht, an der Decke waren seltsame Girlanden gespannt, und es roch fremd. Wir schwiegen. Christiane mied meinen Blick. Markus Werner flüsterte wie ein Kind: »Was machen wir hier eigentlich?«, und niemand antwortete ihm. Die Bali-Frau kochte Tee aus grünen Blättern, stellte kleine Schalen auf den Tisch, Honig und Zucker. Sie goß ein, mit langsamen, sicheren Bewegungen, sie lächelte immerzu, und schließlich setzte sie sich neben Christiane. Markus Werner sah auf ein Foto, das an der Wand über dem Tisch hing, auf dem Foto stand der Regisseur neben der Bali-Frau, im Hintergrund Palmen und ein zu blaues Meer; der Regisseur war nackt bis auf einen winzigen Lendenschurz und trug einen Schmuck aus Bananen und Blumen auf dem Kopf. Er blickte schief und verlegen in die Kamera, die Bali-Frau hielt ihn an der Hand, sie lächelte nicht, der Himmel über ihnen sah nach Regen aus. Markus Werner sagte, noch immer überdeutlich, »Hochzeit?«, und die Bali-Frau, die gerade mit ihrem Gesicht ganz nah an Christianes herangerückt war, zuckte zurück und nickte mit dem Kopf. Christiane räusperte sich und legte die Hände auf den Tisch, als wolle sie eine Konferenz beginnen. Sie sagte entschlossen und fest: »Wo ist er denn?« und Markus Werner antwortete für die Bali-Frau: »Er schläft schon.«

Ich finde, wir haben gute Winter miteinander gehabt. War es einer, oder waren es mehrere? Ich weiß es nicht mehr, und du würdest sagen, es sei auch nicht wichtig. Wir hatten Schnee und klirrende Kälte, und immer, wenn ich gesagt habe, daß ich eigentlich gerne frieren würde, hast du so geschaut, als würdest du verstehen. Wir sind spazierengegangen, wenn die Sonne schien. Die langen Schatten, und du hast die Eiskristalle von den Ästen gebrochen und an ihnen gelutscht. Wenn du auf dem Eis hingefallen bist, habe ich lachen müssen, bis mir die Tränen kamen, wir haben uns nichts versprochen, ich wollte das auch so, dennoch, entschuldige mich, verspüre ich eine Eifersucht auf alle Winter, die du haben wirst, ohne mich. Ich glaube, daß die Dinge von nun an immer so sein werden, wie sie es waren in dieser Küche, an diesem Tisch neben Markus Werner, mit Christiane und der Bali-Frau, es wurde Morgen, ich war so müde; ich weiß, daß die Dinge nie anders waren, ich habe mich eben nur ein Mal getäuscht.

Vor den Fenstern wurde der Himmel blaß, es schneite wieder, und der Schnee begann zu leuchten. Christiane stand einmal auf und setzte sich wieder hin. Markus Werner zog sich die Plastikhandschuhe aus und lehnte sich an mich, er küßte mich kurz und weich auf den Hals. Die Bali-Frau sah uns an und lächelte. Sie sagte: »Es gibt viele Witze in Deutschland.« Ihre Stimme klang ganz hell und kindlich, sie zog die Worte in die Länge und konnte das »sch« nicht richtig aussprechen. Markus Werner bewegte sich nicht. Christiane gab ein kurzes, trockenes Lachen von sich und sagte irritiert: »Was?« Die Bali-Frau rückte an den Tisch heran, sie lächelte jetzt nicht mehr, sie sagte sehr ernst: »Witze. Ich habe sie alle gelernt.« Markus Werner schloß die Augen und sagte sanft: »Vielleicht erzählen Sie uns einen«, und die Bali-Frau sah zu der girlandengeschmückten Decke hoch und sagte: »Was ist der Unterschied zwischen einer Blondine und der Titanic.« Wir schwiegen. Sie wartete vier, fünf Sekunden lang und sagte dann: »Bei der Titanic weiß man, wie viele darauf waren.« Wir schwiegen noch immer. Sie sah uns an, als erwarte sie von uns eine Erklärung, eine Erläuterung dieses Witzes, sie sah fürchterlich ernst aus, und ihre Augen waren weit aufgerissen. Markus Werner hatte die Augen noch immer geschlossen, aber in Christianes Gesicht stand ein Ausdruck der Panik, der mich zum Lachen reizte. Die Bali-Frau beugte sich noch weiter vor und sagte: »Was sagt man zu einer Blondine, die die Kellertreppe herunterfällt?«, sie wartete wiederum zwei, drei Sekunden lang, sie schien tatsächlich zu zählen, dann antwortete sie sich selbst: »Bring Bier mit.« Sie sagte: »Bring Bier mit« und sah dabei so angestrengt auf die Tischplatte, als würde sie all diese Worte dort ablesen. Dann richtete sie sich auf, sie saß jetzt kerzengerade und sprach wie dressiert, sie richtete sich auf und sagte: »Wie beerdigt man eine Blondine?« und sie hörte nicht mehr auf. Sie erzählte einen Blondinenwitz nach dem anderen, zehn, zwanzig, fünfzig Blondinenwitze, und ich starrte sie an, ich starrte in ihr fremdes, konzentriertes, verrücktes Gesicht; ich verstand sie irgendwann überhaupt nicht mehr. Sie sprach immer schneller und schneller, sie gab Frage und Antwort und Frage und Antwort ohne Unterlaß und irgendwann bemerkte ich, daß Christiane – wie lange schon? – weinte. Markus Werner rutschte mit dem Kopf von meiner Schulter herunter in meinen Schoß. Er schlief, und der räudige Pelz seiner Großmutter umschmiegte sein erstaunlich kleines Gesicht. Ich legte meine Hand unter seine Wange und hielt seinen Kopf. Ich spürte mein Herz schlagen. Es ging mir gut.

Dann wurde es still. In einem der hinteren Zimmer klingelte ein Wecker, erwachte ein Regisseur; vor den Fenstern war es hell geworden. Die Bali-Frau schwieg. Sie sah überhaupt nicht erschöpft aus. Sie stand auf und zog Markus Werner von mir hoch, er fiel gegen sie, und sie streifte ihm mit einer sachten Bewegung den Mantel von den Schultern und schob ihn zur Küchenbank. Sie drückte Markus Werner auf die Bank, sie deckte ihn mit seinem Mantel zu und strich ihm mit ihrer kleinen braunen Hand über die Stirn, und dann küßte sie ihn auf den Mund. Christiane und ich standen auf und zogen uns die Mäntel an. Wir drehten uns an der Küchentür noch einmal um, da stand sie neben der Bank in ihrem roten Kleid und sah uns an, ernst und gerade, sie sagte nichts mehr, und da gingen wir.

Draußen war es noch immer kalt. Eine frühe Straßenbahn fuhr an uns vorüber, aus den Leitungen stoben bläuliche Funken, die Stadt war noch still und das Licht so hell, daß ich die Augen zukniff. Christiane blieb stehen und band sich die Haare im Nacken zusammen, ich dachte, ob ich sie vielleicht anfassen sollte, aber ich tat es nicht. Sie war ganz weiß im Gesicht, ihre Lippen waren blau, dann liefen wir los, der Schnee knirschte unter unseren Füßen. Ich habe gedacht, daß du, solltest du geschlafen haben, gerade aufwachen wirst. Du wirst aufwachen und die Eisblumen an den Fenstern sehen.

Es ist kalt. Es riecht nach Schnee. Nach Rauch. Lauschst du auf etwas, das du nicht hören kannst, liegt dir ein Wort auf der Zunge, du kannst es nicht sagen? Bist du unruhig? Sind wir uns einmal – ist das nicht genug – begegnet? Ich werde jetzt schlafen gehen. Erinnert dich der Winter manchmal an etwas, du weißt nicht – an was.

Hunter-Tompson-Musik

Der Tag, an dem dann doch noch einmal etwas geschieht, ist der Freitag vor Ostern. Hunter kommt gegen Abend zurück, er hat beim Deli Dosensuppen, Zigaretten, Weißbrot und im Liquor-Store den billigsten Whisky gekauft, er ist müde, ein bißchen wacklig in den Knien. Er läuft die 85. Straße entlang, die grüne Deliplastiktüte pendelt gegen seine Knie, auf dem Asphalt schmilzt der letzte Märzschnee zu grauen, dreckigen Schlieren zusammen. Es ist kalt, und die Leuchtreklame des Washington-Jefferson flackert ein unschlüssiges »Hotel-Hotel« in die Dunkelheit.

Hunter stößt die große Schwingtür mit der flachen Hand auf, die Wärme zieht ihn hinein und nimmt ihm den Atem, auf dem grünen Hotelläufer zeichnen sich schwarze Fußspuren. Er betritt das dämmerige Foyer, dessen mit dunkelroter Seide bespannte Wände, weiche Ledersitzecken und große Kristallleuchter von der Unwiederbringlichkeit der Zeit erzählen; die Seide wellt sich, die Ledersitzecken sind durchgesessen und abgeschabt, in den Leuchtern fehlen die schimmernden, geschliffenen Gläser, und statt zwölf Birnen stecken in jedem nur noch zwei. Das Washington-Jefferson ist kein Hotel mehr. Es ist ein Asyl, ein Armenhaus für alte Leute, eine letzte, verrottete Station vor dem Ende, ein Geisterhaus. Es geschieht höchst selten, daß sich ein normaler Hotelgast hierher verirrt. Solange niemand stirbt, sind die Zimmer auf Monate hin ausgebucht; stirbt jemand, wird ein Zimmer frei für eine kurze Zeit, um dann den nächsten Alten aufzunehmen, für ein Jahr oder zwei oder für vier Tage oder fünf.

Hunter schlurft zur Rezeption, hinter der Leach, der Hotelbesitzer, damit beschäftigt ist, in der Nase zu bohren und die Kontaktanzeigen der Daily News durchzugehen. Hunter haßt Leach. Jeder im Washington-Jefferson haßt Leach, mit Ausnahme der alten Miss Gil, die ihr klappriges, vernarbtes Herz an ihn verschenkt hat. Leach interessiert sich nicht für Miss Gil. Leach interessiert sich für sich selbst, für die Kontaktanzeigen der Daily News – nur die perversen, vermutet Hunter – und für Geld. Hunter stellt die grüne Deliplastiktüte auf den abgenutzten Rezeptionstresen, atmet tief durch und sagt: »Post.«

Leach sieht noch nicht einmal auf. Er sagt: »Keine Post, Mr. Tompson. Naturgemäß keine Post.« Hunter spürt sein Herz stolpern. Es stolpert nicht wirklich, es setzt nur aus, es setzt einen Schlag aus und zögert und schlägt dann doch weiter, fast gnädig, als wolle es sagen – kleiner Scherz. Hunter hält sich mit der linken Hand am Tresen fest und sagt: »Könnten Sie bitte zumindest nachsehen, ob Post für mich da ist.«

Leach richtet sich mit der Miene eines Menschen, der bei einer ungeheuer wichtigen Beschäftigung wiederholt von etwas ungeheuer Unwichtigem gestört wird, auf und weist mit müder, ritueller Geste auf die leeren Fächer hinter ihm. »Ihr Fach ist das Fach Nummer 93, Mr. Tompson. Wie Sie sehen, ist es leer. So leer wie jeden Tag.«

Hunter starrt auf das leere Fach, auf alle anderen leeren Fächer darüber und darunter, in Fach 45 liegt die Schachzeitschrift von Mr. Friedman und in Fach 107 die Strickanleitungen für Miss Wenders. Es sind ungewöhnlich viele Strickanleitungen. »Ich glaube, Miss Wenders hat schon seit Tagen ihre Post nicht mehr abgeholt, Mr. Leach«, sagt Hunter. »Vielleicht sollten sie mal nachschauen, wie es ihr geht.«

Leach antwortet nicht. Hunter nimmt mit einem faden Gefühl des Triumphes die Plastiktüte vom Tresen und fährt mit dem Fahrstuhl in den vierten Stock. Der Fahrstuhl rumpelt bedenklich, die letzte Wartungsfrist ist lange überschritten, oben schieben sich wackelnd und knarrend die Türen auf. Das Flurlicht funktioniert nicht. Hunter tastet sich unsicher an der Wand entlang, seitdem im Zimmer 95 gegenüber der alte Mr. Right vor drei Wochen gestorben ist, ist er in dieser Ecke des vierten Stocks allein, und er fürchtet sich. Das grüne Schild EXIT über der Tür zum Treppenhaus leuchtet schwach. Aus dem Bad am Ende des Flurs dringt Wassergeräusch, heftiges Rotzen und Husten, Hunter schüttelt sich; er wäscht sich, so gut es geht, am Waschbecken in seinem Zimmer und benutzt das gemeinschaftliche Bad mit der großen, alten Wanne so selten wie möglich, bedauerlicherweise findet er alte Leute meist ekelhaft.

Hunter dreht den Schlüssel im Schloß, knipst Licht an, schließt die Tür hinter sich ab. Er packt die Lebensmittel aus, legt sich aufs Bett, macht die Augen zu. Im Schwarz hinter den geschlossenen Lidern tanzen kleine grüne Punkte auf und ab. Das Haus bewegt sich. Es bewegt sich immer. Die Dielen über ihm knarren, irgendwo schlägt eine Tür, entfernt rumpelt der Fahrstuhl. Hunter kann leise Radiomusik hören, ein Telefon klingelt, etwas fällt mit dumpfem Schlag zu Boden, von der Straße her dringt das Hupen der Taxis zu ihm herauf. Hunter mag die Geräusche. Er mag das Washington-Jefferson, auf eine gewisse, betrübte, resignierte Art. Er mag sein Zimmer, das 400 Dollar im Monat kostet, er hat die 20-Watt-Birne an der Decke gegen eine 60-Watt-Birne ausgetauscht und an den Fenstern blaue Vorhänge angebracht. Er hat seine Bücher in das Regal gestellt, den Rekorder und die Tonbänder auf die Kommode, zwei Fotos über dem Bett. Es gibt einen Stuhl für Gäste, die nie kommen, und ein Telefon, das niemals klingelt. Neben dem Waschbecken ein Kühlschrank, auf dem Kühlschrank eine Kochplatte. Jedes Zimmer ist so ausgestattet. Einmal in der Woche werden die Betten frisch bezogen, Hunter hat bei seinem Einzug darauf bestanden, das selber zu tun, die Vorstellung, daß das Zimmermädchen zwischen seinen Büchern, Aufzeichnungen und Tonbändern herumkramt, ist ihm unangenehm.

Hunter legt sich auf den Rücken, schiebt den Vorhang am Fenster vor dem Bett beiseite und starrt hinaus, das Treppengitter der Feuerleiter zerschneidet den dunklen Himmel in kleine Quadrate. Er schläft ein, wacht wieder auf, setzt sich an den Bettrand, schaut kurz auf den braungemusterten Teppich zwischen seinen Füßen. Dann steht er auf. Es wird noch einmal schneien, in diesem März, er kann es in den Knochen spüren, ein frostiges, unangenehmes Prickeln. Aber die Müdigkeit ist fort, es ist warm, die Heizung knackt, weit entfernt am Ende des Flurs singt Miss Gil mit hoher, dünner Stimme vor sich hin. Hunter lächelt kurz. Erhitzt die Dosensuppe auf dem Herd, gießt sich ein Glas Whisky ein, ißt vor dem Fernseher. Der Nachrichtensprecher auf CNN erzählt mit teilnahmsloser Stimme, daß in Brooklyn-East New York ein Junge in einem McDonald's drei Angestellte erschossen habe. Der Junge erscheint auf dem Bildschirm, er ist schwarz und vielleicht 17 Jahre alt, drei Polizisten halten ihn vor der Kamera fest, eine Stimme aus dem Nichts fragt nach der Tatmotivation. Der Junge schaut direkt in die Kamera, er sieht völlig normal aus, er erklärt, daß er einen Big Mac ohne Gurke bestellt hätte. Ausdrücklich ohne Gurke. Er habe aber einen Big Mac mit Gurke bekommen.

Hunter stellt den Fernseher ab. Auf dem Flur, im Zimmer 95, klappt die Tür. Hunter wendet den Kopf, lauscht irritiert, es bleibt still. Er wäscht Teller und Kochtopf ab, gießt sich ein weiteres Glas Whisky ein, steht unschlüssig vor den Tonbändern herum. Zeit für Musik. Zeit für die Musik, so wie jeden Abend, Zeit für eine Zigarette, Zeit für die Zeit. Was auch sollte er sonst tun, wenn nicht Musik hören. Hunter reibt sich mit der Hand über die Augen und tastet kurz nach seinem Herzschlag. Das Herz schlägt ruhig und träge. Vielleicht Mozart. Oder eher Beethoven. Schubert wie immer zu traurig. Bach. Johann Sebastian Bach, *Wohltemperiertes Klavier*, Teil 1. Hunter schiebt das Tonband in den Rekorder und drückt die Starttaste, es rauscht leise, er setzt sich auf den Stuhl ans Fenster, zündet sich eine Zigarette an.

Glenn Gould spielt langsam, konzentriert und ziehend, zwischendurch kann Hunter ihn leise mitsingen hören, manchmal atmet er heftig, Hunter mag das, es erscheint ihm persönlich. Er sitzt auf dem Stuhl und hört zu, er kann entweder gut oder gar nicht denken beim Musikhören, beides ist schön. Das Hupen der Taxis sehr weit entfernt. Miss Gil hat aufgehört zu singen, oder Glenn Gould ist lauter als Miss Gil. Vor Hunters Zimmertür knackt eine Diele. Die Diele knackt laut. Die Diele hat immer laut geknackt, wenn Mr. Right vor der Tür stand, weil er Zigaretten oder Whisky oder Gesellschaft wollte. Mr. Right ist tot, gestorben vor drei Wochen, er war der einzige, der je vor Hunters Tür stand.

Hunter starrt mit weitaufgerissenen Augen die Tür an, anders als in den Filmen bewegt sich die Türklinke nicht, aber es knackt noch einmal. Hunters Herz schlägt plötzlich erstaunlich schnell. New York ist eine kriminelle Stadt. Niemand würde ihn hier ernst nehmen, sollte er schreien. Leach würde vorgeben, die Nummer der Polizei vergessen zu haben. Hunter steht auf. Er schleicht zur Tür, sein Herz stolpert jetzt doch, er legt die Hand auf die Klinke, holt tief Luft, reißt die Tür auf.

Das Mädchen steht im grünen Licht des EXIT-Schildes. Hunter sieht sehr kleine Füße mit gekrümmten Zehen, einen aufgekratzten Mückenstich am linken Fußknöchel, ein winzigbißchen Dreck unter dem Nagel des großen Zehs. Der Saum ihres Bademantels ist ausgefranst, der Bademantel blau mit weißen Hasenapplikationen auf den Taschen. Sie hat den Mantel sehr eng um die Taille geschnürt, unter ihrem Arm klemmt ein Handtuch und eine Shampooflasche. Sie hält sich mit der rechten Hand den Bademantel unter dem Hals zu, ihr Mund ist schmal und sieht aufgeregt aus, von ihren nassen Haaren tropft das Wasser gleichmäßig auf den braunen Flurteppich. Sie kneift die Augen zusammen und späht an Hunter vorbei ins Zimmer hinein, unter ihrem linken Auge sitzt ein kleiner Leberfleck. Hunter sieht unwillkürlich an sich herunter und bemerkt, daß er seine Gürtelschnalle nicht sehen kann, weil sein Bauch darüberhängt. Das Mädchen sagt etwas ähnliches wie: »Die Musik.«

Hunter zieht die Tür an sich heran und versucht, ihr den Blick auf das Zimmer zu verstellen. Er kann Miss Gil wieder singen hören, sie singt *Honey Pie, you are making me crazy*, aus irgendeinem Grund ist ihm das peinlich. Das Mädchen sagt etwas Ähnliches wie: »Entschuldigung die Musik«, sie spricht die Worte ungeschickt und wie ein Kind, kratzt sich dabei mit den Zehen ihres rechtes Fußes an der linken Wade.

Hunter bekommt eine Gänsehaut. Er tritt in den Flur hinaus und zieht die Zimmertür hinter sich zu, er sagt: »Was soll das«, das Mädchen weicht zurück und verzieht den schmalen Mund. Hunter spürt, daß seine Hand auf der Türklinke zittert, das Mädchen wechselt Handtuch und Shampooflasche vom rechten unter den linken Arm und sagt: »Schauen sie fern oder hören sie Musik?« Hunter starrt sie an, er hat die dumpfe Erinnerung an eine Fernsehshow, er versteht sie nicht, sie spricht einen Code, aber er kann den Code nicht knacken, sieht er fern oder hört er Musik, was soll das heißen?

Sie sagt: »Fernsehen oder Musik? Werbung, Reklame oder wirklich Musik?«

Hunter wiederholt zögernd: »Wirklich Musik«, und das Mädchen, jetzt ungeduldig, wippt auf den Zehenspitzen und sagt: »Bach.«

Hunter sagt: »Ja, Bach. *Wohltemperiertes Klavier*, Glenn Gould.«

Sie sagt: »Na also. Also hören Sie Musik.«

Hunter holt tief Luft, er spürt, daß sich sein Bauch noch mehr aufbläht, aber es geht ihm sofort besser. Sicher hört er Musik. Er will zurück an den Anfang, zurück zur ersten Frage, es fällt ihm schwer, ihr seine Verwirrung zu verbergen, er ahnt, daß er wie ein alter Trottel wirkt. Er sagt noch einmal, diesmal entschlossener: »Was soll das«, und das Mädchen antwortet langsam und im Tonfall einer Lehrerin, deren Schüler endlich verstanden hat: »Ich bin vor Ihrer Zimmertür stehengeblieben, um der Musik zuzuhören.«

Hunter lächelt verständnislos, denkt an das Zähneblecken der Hunde, Miss Gil singt *I'm in love but I'm lazy*, er verspürt das Bedürfnis, ihr wie einer Comic-Ente den faltigen Hals umzudrehen. Er kichert. Das Mädchen kichert auch. Sie sagt: »Die hat nicht alle Tassen im Schrank, was?«, und Hunter hört auf zu kichern und sagt schroff: »Sie ist alt.«

Das Mädchen zieht die linke Augenbraue hoch. Hunter drückt die Türklinke herunter, bereit, sich ins Zimmer zurückzuziehen, sagt verlegen: »Ja also.«

Das Mädchen zieht entschlossen die Luft ein, tritt von einem Fuß auf den anderen und sagt drei Sätze hintereinander, Hunter muß sich unglaublich konzentrieren, sie sagt: »Wissen Sie, ich bin auf der Durchreise. Zimmer 95. Es war schön, Ihre Musik zu hören, die haben mir nämlich meinen Rekorder geklaut.«

Hunter sagt in ihr »geklaut« hinein: »Wer?«, er hat das Gefühl, Zeit gewinnen zu müssen, er ist überfordert, sie ist viel zu jung für dieses Hotel, sie redet so komisch, sie sagt: »Diese Typen am Grand Central, sie haben mir meinen Rucksack und meinen Rekorder und alle meine Kassetten geklaut, und jetzt kann ich keine Musik mehr hören. Das ist schlimm. Nichts geht ohne Musik«, sie sieht Hunter gespannt und aufmerksam an.

Hunter sagt: »Das tut mir leid«, er sieht hilfesuchend den

dunklen Flur hinunter, Miss Gil hat aufgehört zu singen, und er hat die schwache Hoffnung, daß sie zum Fahrstuhl laufen und diese Situation unterbrechen wird. Miss Gil kommt nicht. Das Mädchen, Hunter spürt, daß sie ihn beobachtet, sagt mit einer seltsamen Betonung: »Leben Sie hier?« und Hunter wendet ihr wieder den Kopf zu, sie hat einen fast grausamen Ausdruck um den Mund, und ihr Oberkörper ist besitzergreifend nach vorne geneigt; von ihren Haaren tropft noch immer Wasser.

»Ja«, sagt Hunter. »Ich meine, ich ...«, er bricht ab und ist kurz versucht, sie einfach stehenzulassen, in sein Zimmer zurückzugehen und ihr die Tür vor der Nase zuzuschlagen.

»Das ist ein seltsames Hotel, finden Sie nicht?« fragt das Mädchen, sie hat jetzt eine Hand in den Taschen ihres Bademantels und die Hasenapplikation wölbt sich obszön heraus. Hunter fühlt sich zu Tode erschöpft. Er sehnt sich nach Glenn Gould, nach den blauen Vorhängen seines Zimmers, nach Schlaf. Er ist das nicht mehr gewohnt. Er ist Begegnungen, Gespräche nicht mehr gewohnt; er sagt: »Entschuldigung«, und das Mädchen seufzt theatralisch, holt den Zimmerschlüssel aus ihrer Bademanteltasche und lächelt Hunter beruhigend an. »Wollen wir zusammen essen gehen? Vielleicht morgen abend, Sie könnten mir ein gutes Restaurant zeigen und mir etwas über die Stadt erzählen, Sie wissen schon«, und Hunter denkt daran, daß er seit Jahren nicht mehr essen gegangen ist, daß er keine guten Restaurants kennt, daß er ihr nichts über die Stadt erzählen kann, daß er gar nichts weiß, er sagt: »Natürlich, gern«, er hätte zu allem: »Natürlich, gern«, gesagt, und das Mädchen grinst und sagt: »Also morgen abend um acht, ich hole Sie ab. Gute Nacht.«

Hunter nickt. Sieht ihren Rücken an, als sie die Zimmertür aufschließt, das Frottee des Bademantels ist ihre Wirbelsäule hinunter naß und dunkel, er sieht ihre geschlossene Zimmertür an und hört sie dahinter summen und sich die Zähne putzen, er sieht den Lichtschein unter der Tür verlöschen. Er ist nicht sicher, ob er die Kraft haben wird, zurück in sein Zimmer zu gehen.

Am Morgen erwacht er, weil Miss Gil sich im Flur vor dem Gemeinschaftsbad mit Mr. Dobrian streitet. Miss Gils Stimme dringt hoch und schrill in sein Zimmer hinein, die Stimme zittert und klingt triumphierend. »Sie Schwein!« schreit Miss Gil. »Sie Schwein, Sie dreckiger Spanner, Luder! Ins Bad rein zu platzen, wenn Frauen sich waschen, ich werd's Mr. Leach sagen!« Hunter hört Mr. Dobrians gebrechliche, müde Greisenstimme – »Miss Gil, Sie lassen doch die Tür mit Absicht unverschlossen, wenn Sie sie abschließen würden, könnte das nicht passieren!« – es war jeden Tag dasselbe. Miss Gil schloß nie die Tür ab, irgend jemand ging rein, sah sie nackt und faltig und verwelkt drin rumstehn, ging angewidert wieder raus und mußte sich anschließend dieses Gekeife anhören. Hunter seufzt und zieht sich die Decke über den Kopf, der Schlaf gleitet von ihm ab wie ein Tuch, das Gesicht des Mädchens mit dem nassen Haar taucht ganz kurz vor ihm auf. Er denkt an die Verabredung, an das gemeinsame Essen am Abend, und spürt ein Ziehen im Magen. Er hätte das nicht tun sollen. Er hätte nicht zusagen sollen, er weiß nicht, was er mit ihr sprechen soll, sie scheint ihm ein wenig naiv, und die Zeiten, in denen er an Frauen dachte, sind schon lange vorbei. Was für eine irrsinnige Idee, in diesem Zustand mit einem fremden, viel zu jungen Mädchen ausgehen zu wollen; eine groteske, eine lächerliche Idee.

Hunter setzt sich auf. Sieht kurz durchs Fenster in den Himmel hinauf, der Himmel ist grau und verhangen. Ostersamstag, freier Tag, fürchterlicher freier Abend. Miss Gils noch immer zeternde Stimme entfernt sich den Flur hinunter. Hunter steht auf, wäscht sich, zieht sich an, reißt das Fenster auf, starrt kurz auf die feuchte, morgendliche Straße hinunter. Ein dickes Kind mit einem Karton unter dem Arm fällt hin, steht wieder auf, läuft weiter. Hunter fährt mit dem Fahrstuhl ins Erdgeschoß, beeilt sich, zur Tür zu kommen, beeilt sich, der Stimme von Leach zu entkommen, ist zu langsam.

»Mr. Tompson!« Leachs Stimme klingt lockend und widerwärtig. Hunter verharrt im Schritt und dreht sich halb zur Rezeption herum, er antwortet nicht.

»Haben Sie sie schon gesehen, Mr. Tompson?«

»Habe ich wen schon gesehen«, sagt Hunter.

»Das Mädchen, Mr. Tompson. Das Mädchen, dem ich Ihnen zuliebe Zimmer 95 gegeben habe!« Leach versteht es, eine dermaßen abscheuliche Betonung auf das Wort »Mädchen« zu legen, daß Hunter ein kalter Schauer den Rücken hinunterläuft.

»Nein«, sagt er, die Hand schon auf der Scheibe der Schwingtür, »ich habe sie noch nicht gesehen«, und Leach ruft triumphierend hinter ihm her: »Aber Sie lügen ja, Mr. Tompson! Sie hat mir heute morgen erzählt, daß sie mit Ihnen gesprochen hat, sie war sehr angetan, Mr. Tompson!«

Hunter läßt die Schwingtür heftig ins Schloß fallen, tritt auf die kühle Straße und spuckt aus. Das Mädchen schien dümmer zu sein, als er dachte. Er läuft die 85. Straße hinunter bis zum Broadway, auf dem trotz des Samstags und frühen Morgens die Autos schon im Stau stehen, die Ampeln zucken in Rot und Grün, Menschenmassen strömen aus den Kaufhäusern, an der Ecke 75. steht ein albtraumhaft großer Osterhase und schleudert Schokoladeneier in die Menge. Hunter läuft, ist ziellos und in sich gekehrt, der Himmel so regenschwer und in der Luft ein eisiges Knistern. Er wird angerempelt, steht fünf Minuten lang am Broadway Ecke 65. herum, bis ihn ein Zeitungsverkäufer darauf aufmerksam macht, daß die dritte grüne Ampelphase angebrochen sei. Er kehrt um, schlägt den Weg zum Park ein, kauft sich bei Bagels and Companies ein Sandwich und Kaffee zum Mitnehmen. Ein chinesischer Bettler tritt den Leuten in den Weg und zerrt an ihren Einkaufstaschen herum, Hunter weicht aus, stößt gegen eine enorm fette schwarze Frau, entschuldigt sich, sie lächelt, sagt: »Für nichts, Schätzchen.« Vor der Gourmet-Garage sitzen Angestellte und essen Salate aus Plastikschalen, sitzen nebeneinander, Füße alle im selben Abstand. »Zuviel Elektrizität!« schreit der Geisteskranke vor Macey's, seit Hunter denken kann, steht er da und schreit: »Zuviel Elektrizität macht die Leute verrückt!«, die Passanten lachen, werfen ihm Zehn-Cent-Stücke vor die Füße, er hebt sie niemals auf. Hunter biegt in eine Seitenstraße ein, es wird stiller, vor den Eingangstüren der dreistöckigen, roten Backsteinhäuser grüne Kränze mit gelben Schleifen. Er setzt sich in den Park, trinkt den kaltgewordenen Kaffee, ißt das Sandwich, der Tag gleitet an ihm vorüber, gegen Mittag beginnt es sachte zu regnen.

Hunter bleibt sitzen. In den Beeten picken Tauben an rattengiftgelben Körnern herum, ein Mädchen auf Rollerblades schnurrt vorüber, schwarze Nannys mit weißen, kränklich und überheblich aussehenden Kindern an der Hand setzen sich neben ihn. Hunters Blick immer auf dem Kies zwischen seinen Füßen, grauer Kies mit weißen Punkten. Er spürt eine Unruhe in seinen Gelenken, seinen Händen, die ihm fremd ist. Es ist eine Unruhe, die nichts mit dem Schnee zu tun hat, obwohl das frostige Prickeln von gestern abend stärker geworden ist. Der Park, der ihn sonst ruhig macht und müde, scheint heute unzugänglich, abweisend. Eine alte Asiatin stochert mit einem Drahtbügel in den Mülleimern, faselt vor sich hin, verschwindet dann unlustig ohne Beute zwischen den Bäumen auf der anderen Seite der Wiese. Vor Hunters Bank fällt eine Taube um, zuckt mit den Krallen, bewegt sich nicht mehr. Hunter setzt sich eine Bank weiter. Die Wolken rücken beiseite und geben einen blassen, matten Märzhimmel frei. Er denkt ratlos: »Zeit. Und Zeit.« Er denkt nichts. Verläßt den Park, als sich die langen Schatten zwischen den Bänken hinziehen, läuft auf den Broadway zurück, der Feierabendverkehr genauso schwachsinnig dicht wie der Verkehr am Morgen. Er biegt in die 84. Straße ein, die Tiefgarage an der Ecke spuckt rücksichtslos Autos aus, Hunter wechselt die Straßenseite, friert, versenkt die Hände tiefer in den Manteltaschen. In Lennys Laden brennt Licht.

Hunter drückt vorsichtig die kleine Glastür auf, verheddert sich im Filzvorhang dahinter, stolpert in der Dunkelheit, kann Lenny jetzt schon leise lachen hören. Er wickelt sich aus dem Vorhang, lacht auch, eher widerwillig, Lenny sitzt auf seinem staubigen Schaukelstuhl hinter der Registrierkasse und hält sich die Hand vor den Mund wie ein Mädchen. »Laß das«, sagt Hunter. Lenny zieht übertrieben die Luft ein, verschwindet im Regal unter der Kasse und taucht mit einer Flasche Whisky und zwei Gläsern wieder auf. Im Laden ist es warm. Im gelben Licht flirren Staubfäden, es riecht nach Papier und feuchtem Holz, Lennys Schaukelstuhl inmitten von Büchern, Bilderrahmen, Halloweenmasken, vermoderten Kistchen und Stoffballen, Plastikblumen, Konservenbüchsen, vergilbten Ansichtskarten. Regenschirme, Perücken, Baseballschläger. Hunter schiebt einen Stapel uralter Lotteriescheine von einem Gartenstuhl und setzt sich. Lenny schenkt Whisky ein, in den Falten seines Gesichts scheint sich Staub angesammelt zu haben, die Augen hinter seiner dicken Brille schimmern feucht. Er sagt: »Du warst erst vorgestern hier, Tompson.« Hunter lächelt und sagt: »Ich gehe gleich wieder«, Lenny antwortet nicht und schaukelt sich mit seinem Stuhl in die Dunkelheit des Ladens zurück. Der Whisky schmeckt salzig. Irgendwo tropft Wasser, der Lärm der Straße ist weit weg, Hunter wird es warm. Er weiß nicht mehr, weshalb er hier ist. Er will nicht mehr wissen, weshalb er hier ist, er will so sitzen, wie er hier immer sitzt, still, lange, grundlos, dann gehen. Lenny beobachtet ihn, er spürt das, Lenny ist schlau, er röchelt jetzt, spuckt Schleim in eine alte Blechschale, sagt: »Tompson. Du willst doch nicht etwa was kaufen.«

Hunter richtet sich auf, der Gartenstuhl knackt, er kann das Blut in seinen Ohren rauschen hören. Er sagt: »Ich bräuchte einen Kassettenrekorder. Nichts Besonderes, nur so einen kleinen, tragbaren, ich dachte, du hast so was, vielleicht«, er bemüht sich, seiner Stimme einen beiläufigen, sorglosen Klang zu geben. Lennys Augen hinter der Brille werden zu kleinen, schmalen Schlitzen. »Du hast einen Kassettenrekorder, Tompson. Wozu brauchst du einen zweiten?«

Hunter räuspert sich, möchte gerne Lennys Blick ausweichen, bereut schon jetzt, überhaupt gefragt zu haben, er kann nicht lügen. Er sagt: »Ich will ihn verschenken.« Lenny schaut weg. Er schaukelt vor und zurück, langsam, träge, pfeift ein wenig vor sich hin, schüttelt den Kopf. Hunter atmet vorsichtig. Lenny steht auf, verschwindet in der Tiefe des Ladens, Glas zersplittert, Bücher fallen, Staub steigt auf. Lenny hustet und flucht, zerrt an etwas herum, kommt zurück, in seinen knotigen, braunfleckigen Händen einen kleinen, fast zierlichen Rekorder mit silbernem Kassettendeck.

Hunter schwitzt. Der Kragen seines Wintermantels scheuert am Hals, der Wollschal juckt, Hunter findet es unerträglich heiß. Lenny stellt den Kassettenrekorder neben die Registrierkasse und wischt mit einem Staubtuch darauf herum. Er sieht besorgt aus. Er sieht tatsächlich besorgt aus. Hunter wendet den Kopf ab und rückt mit seinem Gartenstuhl ins Dämmerlicht zurück. Lenny beugt sich vor und sagt: »Du weißt, daß ich nichts mehr verkaufe. Ich sitze hier nur noch. Ich verkaufe nichts mehr.«

»Ja«, sagt Hunter schwach. »Das weiß ich.«

Lenny seufzt nachsichtig, spuckt wieder aus und kichert dann leise. »Ich wundere mich über dich, Tompson. Ich wundere mich wirklich. Ich nehme nicht an, daß du diesen Rekorder Leach schenken willst. Oder Miss Gil.« Er äugt durch seine dicken Brillengläser zu Hunter hinüber, auf seinem kahlen Kopf zittert eine Staubflocke. »Tompson. Für wen soll dieser Rekorder sein?« Hunter antwortet nicht. Er spürt, wie die Müdigkeit sich zwischen seinen Schulterblättern auseinanderfaltet und wischt sich mit dem Handrücken den Schweiß von der Stirn. Lenny kommt hinter seiner Kasse hervor, tritt mit dem Fuß zwei Bücherstapel um und legt den kleinen Rekorder in Hunters Schoß. Er sagt: »Nimm ihn. Ich brauche ihn nicht mehr. Wenn du's bereust, bringst du ihn mir wieder. Tompson...«, Lenny bricht ab und schlurft zum Schaukelstuhl zurück. Er setzt sich hin und betrachtet seine Spucke in der Blechschale. Hunter berührt das silberne Kassettendeck, es ist kühl und glatt. Er wünscht sich, daß Lenny noch etwas sagen würde. Er wünscht sich, daß er ihm den Rekorder wieder wegnehmen würde, er wünscht sich in sein Zimmer zurück, ins Bett, in die Dunkelheit. Lenny schweigt. Wasser tropft. Irgendwo knistert Papier, Hunter steht auf, nimmt den Kassettenrekorder in die Hand, geht zur Tür, sagt: »Vielen Dank.« – »Nichts zu danken«, sagt Lenny aus den Tiefen seines Schaukelstuhls heraus, Hunter steht mit dem Rücken zu ihm, wartet, spürt sein Herz, Lenny sagt: »Tompson?«, Hunter räuspert sich. Lenny sagt: »Kommst du noch einmal, morgen, übermorgen?« und Hunter sagt: »Sicher«, schiebt den Filzvorhang beiseite, öffnet die kleine Glastür und riecht den Schnee. »Ich hoffe das«, sagt Lenny, und Hunter tritt auf die kalte, dunkle Straße hinaus.

Im Washington-Jefferson sitzt Leach hinter dem Rezeptionstresen, liest die Daily News, blickt nicht auf. Hunter, den Rekorder unter dem Mantel versteckt, fährt mit dem Fahrstuhl nach oben, schleicht den Gang entlang, schließt sein Zimmer auf, schließt die Tür hinter sich ab. Seine Knie zittern. Es ist sechs Uhr fünfundvierzig. Auf dem Flur und in Zimmer Nummer 95 ist es still.

Eine Stunde. Noch eine Stunde, dann kommt sie. Hunter sitzt auf dem Stuhl am Fenster und starrt seinen Kleiderschrank an. Er hat den Rekorder in Zeitungspapier eingewickelt und einen Wollfaden drumherum gebunden, der Rekorder steht auf dem Tisch und sieht lächerlich aus. Hunter wendet den Blick ab, geht zum Schrank und holt seinen Anzug heraus. Der Anzug ist schwarz und riecht nach Staub, er hat abgeschabte Stellen an den Knien und den Ellbogen, der Kragen glänzt. Er hat den Anzug das letzte Mal auf Mr. Rights Beerdigung getragen, es ist der Anzug für die Washington-Jefferson-Beerdigungen, und der Gedanke, daß er diesen Anzug heute abend tragen wird, läßt Hunter in überspanntes Lachen ausbrechen. Ihm ist übel. Ihm ist im Magen und ums Herz herum und in der Kehle übel, er wirft den Anzug aufs Bett und läßt heißes Wasser ins Waschbecken laufen. Das Mädchen wird ihn nicht dazu bringen, sich im Gemeinschaftsbad zu waschen. Das Mädchen wird ihn überhaupt nicht dazu bringen, sich zu waschen, er wird sich rasieren und die Haare kämmen, es ist ohnehin nichts zu retten. Hunter macht vor dem Spiegel über dem Waschbecken ganz langsam die Augen auf, der Spiegel ist klein, vom Wasserdampf beschlagen, Hunter sieht sein Gesicht in gnädigem, weißem Dampf. Er rasiert sich vorsichtig, seine Hände zittern zu stark, er schneidet sich ein wenig ins Kinn, Blut kommt raus, von seltsam ungesundem Rot. Hunter würgt. Holt tief Luft, läßt kaltes Wasser über seine Handgelenke laufen, zählt. Kann den Rasierschaum riechen, riecht Seife, Pfefferminze. Er stillt das Blut mit einem Stückchen Zeitungspapier, zieht den Anzug an, die Ärmel sind zu kurz, ein Knopf fehlt. Hunter fühlt sich wie im Traum. Schlafwandlerisch. Fast gleichgültig. Er zündet sich eine Zigarette an, zieht die Hosenbeine hoch und setzt sich auf die Bettkante. Er hustet. Es ist sieben Uhr fünfundvierzig. Er wartet.

Der quadratische Himmel zwischen dem Gitter der Feuerleiter wird fahl und dann schwarz. Es regnet ein bißchen. Auf dem Nachttisch tickt die Uhr, in der Heizung rauscht das Wasser, das Haus schlingert, momentlang, in einer fremden, ungewohnten Bewegung. »Wie ein Schiff«, denkt Hunter. »Wie ein Schiff, es hat Leinen gelassen, ist schon lange vom Ufer fort, ich habe es nur nicht bemerkt.« Alle Geräusche wie aus weiter Ferne. Der Zeiger der Uhr wandert im Kreis, zieht Stunden und Stunden, das Mädchen kommt nicht, natürlich kommt sie nicht. Hunter liegt auf dem Bett und lächelt, sieht an die Decke, Wasserflecken da oben, Risse im Stuck, enttäuschte Erleichterung. Was wäre auch gewesen. Wie hätte das aussehen sollen, dieser Abend in einem guten Restaurant, das höhnische Lächeln der Kellner, das Kleingeld in der Hosentasche, die zitternden Hände, die Schluckbeschwerden. Sie hätte reden müssen. Er hätte nichts sagen können, hätte nur auf den Schlag seines Herzens gelauscht, der Schlag wäre schneller geworden und schneller und dann. Hunter liegt auf dem Bett und lächelt. »Die Zeit«, denkt er, »die Zeit und die Zeit«, die Uhr steht auf elf. Er zieht die Decke über die Knie und rollt sich auf die Seite, sein Blick tastet über die Gegenstände im Zimmer, über ihre abgeschliffene, weiche Vertrautheit. Es ist warm. Die Müdigkeit ist schwer und schön.

Die Tür von Zimmer 95 schlägt um Mitternacht zu. Hunter hat das Mädchen nicht gehört, keinen leichten, federnden Schritt im dunklen Flur, ein zu ungewohntes Geräusch vermutlich. Er richtet sich auf und lauscht, es bleibt still. Er steht auf, bißchen schwindelig, und ihm wird schwarz vor Augen, dann ist es vorüber. Er zieht den Anzug wieder aus, die Jacke, die Hose, zerdrückt jetzt und knittrig, hängt ihn sorgfältig in den Schrank zurück. Steht vor den Tonbändern, Mozart und Bach, der traurige Schubert und der kleine, leise, zärtliche Satie. Der portugiesische Fadogesang für die Sonntage und diese Stimme von Janis Joplin, für die er zu alt ist, seit jeher zu alt. Manchmal, im Übermut, Astor Piazolla. Und dieser Amerikaner, dieser große, schräge, häßliche Vogel aus Kalifornien, von dem er nur ein Lied gehört hat, *Jersey Girl*, dieses aber hat er geliebt. Und wieder Mozart und Schumann, dazwischen eine Platte von Stevens, woher die?, Hunter gleitet mit der Hand über die Tonbandhüllen, schüttelt den Kopf, lächelt verlegen. Tangomusik. Callas-Arien. Die Musik und die Zeit, die Zeit, die Winterreise, die fremden, afrikanischen Gesänge, die er auf dem Flohmarkt am Tompkins-Square gekauft hat, sieben Jahre her, oder acht oder zehn. Hunter weint nicht. Dreht die Tonbandhüllen in den Händen, kann seine eigene Schrift nicht mehr lesen, Jazz und Lyrik, die

Stimme von Truman Capote. Dann packt er ein. Holt einen kleinen Schuhkarton aus dem Schrank, packt die Tonbandhüllen da hinein, sehr ordentlich, Rücken an Rücken, manche sind nicht beschriftet, soll sie selber sehen. Auch die Glenn-Gould-Kassette aus dem Rekorder. Auch diese, Hunter vergißt nichts. Das Mädchen klopft an die Tür, es ist schon spät, wie spät und wie spät, Hunter drückt den Deckel auf den Schuhkarton, stellt ihn auf das kleine Rekorderpäckchen, macht die Tür einen Spalt breit auf und schiebt beides in den Flur.

Das Mädchen sagt: »Bitte.« Sie stellt ihren Fuß in den Türspalt, Hunter drängt ihn mit beiden Händen zurück, sagt: »Frohe Ostern«, drückt die Tür zu. Das Mädchen, hinter der Tür, sagt noch einmal: »Bitte«, sagt: »Es tut mir leid. Ich weiß. Ich bin viel zu spät.« Hunter hockt auf dem Boden und antwortet nicht. Er kann sie atmen hören. Er kann hören, wie sie die beiden kleinen Kartons aufhebt, den Deckel vom Schuhkarton öffnet, das Zeitungspapier vom Päckchen reißt. Sie sagt: »Oh.« Die Tonbandhüllen klappern leise aneinander, sie sagt: »Lieber Himmel«, dann bricht sie in Tränen aus. Hunter legt die Hände vor das Gesicht und drückt die Daumen auf die geschlossenen Lider, bis die Farben explodieren. Das Mädchen im Flur weint. Vielleicht ist sie eitel. Vielleicht ist sie enttäuscht. Hunter lehnt den Kopf an die Tür, der Kopf ist so schwer, er will nichts mehr hören, er hört dennoch. Das Mädchen sagt: »Sie müssen das nicht tun.« Hunter sagt, sehr leise, er weiß nicht, ob sie ihn verstehen kann, aber er redet schließlich zu sich selbst: »Ich weiß. Ich will es aber so.« Das Mädchen sagt: »Danke.« Hunter nickt. Er hört ihren Mantel knistern, muß ein Plastikmantel sein, vielleicht grün, sie drückt sich gegen die Tür, die Tür gibt nicht nach. Sie fragt: »Sie wollen nicht noch einmal aufmachen?«, Hunter schüttelt den Kopf. Sie sagt: »Eine Frage nur, eine letzte Frage, können Sie mir eine Frage beantworten?« – »Ja«, sagt Hunter, sagt es in den Spalt zwischen Tür und Wand hinein, er vermutet irgendwo dort ihren Mund, den schmalen, aufgeregten, unruhigen Mund. Sie sagt: »Ich will nur wissen, weshalb Sie hier leben, weshalb denn, können Sie mir das sagen?« Hunter legt sein Gesicht an den Türspalt, es zieht ein wenig, kommt kalte Luft rein, Kühle, er schließt wieder die Augen, sagt: »Weil ich fortgehen kann. Jeden Tag, jeden Morgen meinen Koffer packen, die Tür hinter mir zuziehen, gehen.« Das Mädchen schweigt. Sagt dann: »Wohin denn gehen?«, Hunter antwortet sofort: »Das ist eine völlig unnötige Frage.« Der Druck gegen die Tür läßt nach. Der Plastikmantel knistert, das Mädchen scheint aufzustehen, der kühle Zug am Türspalt ist fort. »Ja«, sagt sie. »Ich verstehe. Gute Nacht.« »Gute Nacht«, sagt Hunter, er weiß, sie wird ihren Koffer gepackt haben, den Rekorder, seine Musik, und abgereist sein, bevor es richtig hell wird.

Sommerhaus, später

Stein fand das Haus im Winter. Er rief mich irgendwann in den ersten Dezembertagen an und sagte: »Hallo«, und schwieg. Ich schwieg auch. Er sagte: »Hier ist Stein«, ich sagte: »Ich weiß«, er sagte: »Wie geht's denn«, ich sagte: »Warum rufst du an«, er sagte: »Ich hab's gefunden«, ich fragte verständnislos: »Was hast du gefunden?« und er antwortete gereizt: »Das Haus! Ich hab das Haus gefunden.«

Haus. Ich erinnerte mich. Stein und sein Gerede von *dem* Haus, raus aus Berlin, Landhaus, Herrenhaus, Gutshaus, Linden davor, Kastanien dahinter, Himmel darüber, See märkisch, drei Morgen Land mindestens, Karten ausgebreitet, markiert, Wochen in der Gegend rumgefahren, suchend. Wenn er dann zurückkam, sah er komisch aus, und die anderen sagten: »Was erzählt der bloß. Das wird doch nie was.« Ich vergaß das, wenn ich Stein nicht sah. Wie ich auch ihn vergaß.

Ich zündete mir mechanisch eine Zigarette an, wie immer, wenn Stein irgendwie auftrat und mir also wenig einfiel. Ich sagte zögernd: »Stein? Hast du's gekauft?« und er schrie: »Ja!«, und dann fiel ihm der Hörer aus der Hand. Ich hatte ihn noch nie schreien gehört. Und dann war er wieder dran und schrie weiter, schrie: »Du *mußt* es dir ansehen, es ist unglaublich, es ist großartig, es ist toll!« Ich fragte nicht, wieso gerade ich mir das ansehen sollte. Ich hörte zu, obwohl er dann lange nichts mehr sagte.

»Was machst du gerade?« fragte er schließlich, es klang geradezu obszön, und seine Stimme zitterte ein wenig. »Nichts«, sagte ich. »Ich sitze so rum und lese Zeitung.« – »Ich hol dich ab. In zehn Minuten«, sagte Stein und legte auf.

Fünf Minuten später war er da, nahm den Daumen auch dann noch nicht von der Klingel, als ich ihm schon lange geöffnet hatte. Ich sagte: »Stein, das nervt. Hör auf zu klingeln«, ich wollte sagen: Stein, es ist saukalt draußen, ich habe keine Lust, mit dir rauszufahren, verschwinde. Stein hörte auf zu klingeln, legte den Kopf schief, wollte was sagen, sagte nichts. Ich zog mich an. Wir fuhren los, sein Taxi roch nach Zigaretten, ich kurbelte das Fenster herunter und hielt mein Gesicht in die kalte Luft.

Die Beziehung zu Stein, wie die anderen das nannten, lag damals schon zwei Jahre zurück. Sie hatte nicht lange angedauert und vor allem aus gemeinsamen Fahrten mit seinem Taxi bestanden. Ich hatte ihn in seinem Taxi kennengelernt. Er hatte mich zu einem Fest gefahren und auf der Autobahn eine Trans-AM-Kassette in den Rekorder geschoben, als wir da waren, sagte ich, das Fest sei jetzt doch woanders, und wir fuhren weiter, und irgendwann schaltete er die Uhr ab. Er kam mit zu mir. Er stellte seine Plastiktüten in meinen Flur und blieb drei Wochen lang. Stein hatte nie eine eigene Wohnung besessen, er zog mit diesen Tüten durch die Stadt und schlief mal hier und mal da, und wenn er nichts fand, schlief er in seinem Taxi. Er war nicht das, was man sich unter einem Obdachlosen vorstellt. Er war sauber, gut angezogen, nie verwahrlost, er hatte Geld, weil er arbeitete, er hatte eben keine eigene Wohnung, vielleicht wollte er keine.

In den drei Wochen, in denen Stein bei mir lebte, fuhren wir mit seinem Taxi durch die Stadt. Das erste Mal über die Frankfurter Allee, bis zu ihrem Ende und wieder zurück, wir hörten Massive Attack und rauchten und fuhren die Frankfurter Allee wohl eine Stunde lang rauf und runter, bis Stein sagte: »Verstehst du's?«

Mein Kopf war völlig leer, ich fühlte mich ausgehöhlt und in einem seltsamen Schwebezustand, die Straße vor uns war breit und naß vom Regen, die Scheibenwischer schoben sich über die Windschutzscheibe, vor–zurück. Die Stalin-Bauten zu beiden Seiten der Straße waren riesig und fremd und schön. Die Stadt war nicht mehr die Stadt, die ich kannte, sie war autark und menschenleer, Stein sagte: »Wie ein ausgestorbenes Riesentier«, ich sagte, ich würde ihn verstehen, ich hatte aufgehört zu denken.

Danach fuhren wir fast immer mit dem Taxi herum. Stein hatte für jede Strecke eine andere Musik, Ween für die Landstraßen, David Bowie für die Innenstadt, Bach für die Alleen, Trans-AM nur für die Autobahn. Wir fuhren fast immer Autobahn. Als der erste Schnee fiel, stieg Stein an jedem Rastplatz aus dem Auto, rannte auf den verschneiten Acker und vollführte dort langsame und konzentrierte Tae-kwon-do-Bewegungen, bis ich lachend und wütend schrie, er solle zurückkommen, ich wolle weiterfahren, mir sei kalt.

Irgendwann hatte ich genug. Ich packte ihm seine drei Plastiktüten zusammen und sagte, es sei Zeit, daß er sich eine neue Bleibe suche. Er bedankte sich und ging. Er zog zu Christiane, die unter mir wohnte, dann zu Anna, zu Henriette, zu Falk, dann zu den anderen. Er vögelte sie alle, das ließ sich nicht vermeiden, er war ziemlich schön, Fassbinder hätte seine helle Freude an ihm gehabt. Er war dabei. Und auch nicht. Er gehörte nicht dazu, aber aus irgendeinem Grund blieb er. Er saß Modell in Falks Atelier, legte Kabel auf Annas Konzerten, hörte Heinzes Lesungen im Roten Salon. Er applaudierte im Theater, wenn wir applaudierten, trank, wenn wir tranken, nahm Drogen, wenn wir sie nahmen. Er war auf den Festen dabei, und wenn wir rausfuhren, sommers, in die schäbigen, schiefen, kleinen Landhäuschen, die sie bald alle hatten, und auf deren morschen Zäunen »Berliner raus!« geschmiert war, kam er mit. Und ab und an nahm ihn einer von uns mit ins Bett, und ab und an sah einer zu.

Ich nicht. Ich wiederholte nicht. Ich kann sagen – es war nicht meine Art. Ich konnte mich auch nicht erinnern, wie das, wie also Sex mit Stein gewesen war.

Wir saßen mit ihm da rum, in den Gärten und Häusern von Leuten, mit denen wir nichts zu tun hatten. Arbeiter hatten da gelebt, Kleinbauern, Hobbygärtner, die uns haßten und die wir haßten. Den Einheimischen gingen wir aus dem Weg, schon an sie zu denken machte alles kaputt. Es paßte nicht. Wir klauten ihnen das »Unter-uns-Sein«, entstellten die Dörfer, Felder und noch den Himmel, das kriegten sie mit, an der Art und Weise, wie wir da umhergingen im Easy-Rider-Schritt, die abgebrannten Jointstummel in die Blumenrabatten ihrer Vorgärten schnippten, uns anstießen, echauffiert. Aber wir wollten da sein, trotz allem. In den Häusern rissen wir die Tapete runter, entfernten Plaste und Elaste, Stein machte das; wir saßen im Garten, tranken Wein, guckten blöde auf Baumgruppe in Mückenschwarm und redeten über Castorf und Heiner Müller und Wawerzineks letzten Absturz in der Volksbühne. Wenn Stein genug gearbeitet hatte, setzte er sich zu uns. Zu sagen hatte er nichts. Wir nahmen LSD, Stein nahm es auch. Toddi taumelte ins Abendlicht, faselte bei jeder Berührung etwas von »Blau«, Stein lächelte übertrieben heiter und schwieg. Er bekam ihn nicht hin, unseren spitzfindigen, neurasthenischen, abgefuckten Blick, obwohl er sich darum bemühte; meist sah er uns an, als ob wir auf einer Bühne agierten. Einmal war ich mit ihm allein, vielleicht im Garten von Heinzes Haus in Lunow, die anderen aufgebrochen zum Sonnenuntergang auf Speed. Stein räumte Gläser, Aschenbecher, Flaschen und Stühle weg. Es gelang ihm. Bald erinnerte nichts mehr an die anderen. »Willst du Wein?« fragte er, ich sagte: »Ja«, wir tranken, rauchten schweigend, er lächelte jedesmal, wenn wir uns ansahen. Und das war's.

Ich dachte: »Und das war's«, als ich jetzt neben Stein im Taxi saß, Frankfurter Allee Richtung Prenzlau, Nachmittagsverkehr. Der Tag war diesig und kalt, Staub in der Luft, glotzende, blöde, fingerreckende, müde Autofahrer neben uns. Ich rauchte eine Zigarette und fragte mich, warum gerade ich jetzt neben Stein sitzen mußte, warum er gerade mich angerufen hatte – weil ich ein Anfang gewesen war, für ihn? Weil er Anna oder Christiane oder Toddi nicht erreicht hatte? Weil keiner von denen mit ihm rausgefahren wäre? Und warum fuhr ich mit ihm raus? Ich kam an keine Antwort heran. Ich warf die Zigarettenkippe aus dem Fenster, ignorierte den Kommentar des Autofahrers neben uns; im Taxi war es scheußlich kalt. »Stimmt was mit der Heizung nicht, Stein?« Stein antwortete nicht. Es war das erste Mal, daß wir wieder zusammen in seinem Auto saßen, seit damals, ich sagte nachsichtig: »Stein, was ist das für ein Haus. Was hast du dafür bezahlt.« Stein schaute unkonzentriert in den Rückspiegel, fuhr über rote Ampeln, wechselte unentwegt die Spur, zog die Glut seiner Zigarette bis an die Lippen herunter.

»80 000«, sagte er. »Ich hab 80 000 Mark dafür bezahlt. Es ist schön. Ich hab's gesehen, und hab gewußt – das ist es.« Er hatte rote Flecken im Gesicht und hämmerte mit der flachen Hand auf die Hupe, während er einem Bus die Vorfahrt nahm. Ich sagte: »Woher hast du 80 000 Mark?«, er warf mir einen kurzen Blick zu und antwortete: »Du stellst die falschen Fragen.« Ich beschloß, nichts mehr zu sagen.

Wir verließen Berlin, Stein fuhr von der Autobahn hinunter auf die Landstraße, es begann zu schneien. Ich wurde müde, wie immer beim Autofahren. Ich starrte auf die Scheibenwischer, in den wirbelnden Schnee, der uns in konzentrischen Kreisen entgegen kam, ich dachte an das Autofahren mit Stein vor zwei Jahren, an die seltsame Euphorie, an die Gleichgültigkeit, an die Fremdheit. Stein fuhr ruhiger, sah ab und an flüchtig zu mir hin. Ich fragte: »Funktioniert der Kassettenrekorder nicht mehr?« Er lächelte, sagte: »Doch. Ich wußte nicht... wenn du's noch magst.« Ich verdrehte die Augen – »Natürlich mag ich's noch.« –, schob die Callaskassette in den Rekorder, auf der Stein eine Donizettiarie zwanzigmal hintereinander montiert hatte. Er lachte. »Du weißt das noch.« Die Callas sang, sie ging hoch und runter, Stein beschleunigte und verlangsamte, ich mußte auch lachen und berührte mit der Hand kurz seine Wange. Die Haut war ungewohnt stachelig. Ich dachte: »Was ist gewohnt«, Stein sagte: »Siehste«, und ich sah, daß er es sofort bereute.

Hinter Angermünde bog er von der Landstraße ab und bremste vor der Einfahrt zu einem Sechziger-Jahre-Flachbau so heftig, daß ich mit dem Kopf gegen die Windschutzscheibe flog. Ich fragte enttäuscht und beunruhigt: »Ist es das?« und Stein freute sich darüber und schlitterte auf dem vereisten Beton mit übertriebenen Bewegungen auf die Frau im Küchenkittel zu, die aus der Haustür getreten war. An ihren Kittel krallte sich ein blasses, kümmerliches Kind. Ich kurbelte die Scheibe herunter, hörte, wie er mit jovialer Herzlichkeit: »Frau Andersson!« rief – ich hatte seine Art, mit Leuten dieses Schlags umzugehen, schon immer gehaßt –, sah, wie er ihr die Hand entgegenstreckte und wie sie sie nicht nahm, sondern ein riesiges Schlüsselbund hineinfallen ließ. »Wasser gibt's nicht bei Frost«, sagte sie. »Zuleitung is kaputt. Aber Strom wollnse nächste Woche anstelln.« Das Kind an ihrem Kittel fing an zu heulen. »Macht nix«, sagte Stein, schlitterte zum Auto zurück, blieb vor meiner heruntergekurbelten Scheibe stehen und bewegte sein Becken elegant und obszön im Kreis. Er sagte: »Come on baby, let the good times roll.« Ich sagte: »Stein. Laß das«, ich spürte, wie ich rot wurde, das Kind ließ den Kittel der Frau los und ging einen erstaunten Schritt auf uns zu.

»Die haben drin gewohnt«, sagte Stein, als er den Motor wieder anließ; er setzte rückwärts auf die Landstraße, der Schnee fiel jetzt dichter, ich drehte mich um und sah die Frau und das Kind im erleuchteten Rechteck der Tür stehen, bis das Haus hinter einer Kurve verschwand. »Sie sind sauer, weil sie vor einem Jahr rausmußten. Aber nicht ich hab sie rausgesetzt, sondern der Eigentümer aus Dortmund. Ich hab's bloß gekauft. Von mir aus hätten sie drinbleiben können.« Ich sagte verständnislos: »Die sind doch ekelhaft«, und Stein sagte: »Was ist ekelhaft« und warf mir das Schlüsselbund in den Schoß. Ich zählte die Schlüssel, es waren dreiundzwanzig Stück, ganz kleine und sehr große, alle alt und mit schöngeschwungenem Griff, ich sang halblaut vor mich hin: »Der Schlüssel zum Stall, der Schlüssel zum Boden, der fürs Tor, für die Scheune, fürs gute Zimmer, für Melkkammer, Briefkasten, Keller und Gartentor«, und auf einmal – ohne, daß ich das wirklich gewollt hätte – verstand ich Stein, seine Begeisterung, seine Vorfreude, seine Fiebrigkeit. Ich sagte: »Es ist schön, daß wir da zusammen hinfahren, Stein«, und er weigerte sich, mich anzusehen, und sagte: »Jedenfalls kann man von der Veranda aus die Sonne hinterm Kirchturm untergehen sehen. Und wir sind gleich da. Hinter Angermünde kommt Canitz, und in Canitz steht das Haus.«

Canitz war schlimmer als Lunow, schlimmer als Templin, schlimmer als Schönwalde. Graue, geduckte Häuser auf beiden Seiten der gekrümmten Landstraße, Bretterverschläge vor vielen Fenstern, kein Laden, kein Bäcker, kein Gasthaus. Das Schneegestöber nahm zu. »Viel Schnee hier, Stein« sagte ich, und er sagte: »Klar«, als hätte er den Schnee zusammen mit dem Haus gekauft. Als auf der linken Seite der Straße die

Dorfkirche auftauchte, dann doch schön und rot mit einem runden Glockenturm, fing Stein an, ein summendes, seltsames Geräusch zu machen, wie eine Fliege, die im Sommer gegen die geschlossenen Fenster stößt. Er lenkte das Auto auf einen kleinen Querweg, bremste ab, nahm im selben Moment mit einer emphatischen Geste die Hände vom Lenkrad und sagte: »Das ist es.«

Ich sah aus dem Autofenster und dachte: »Das ist es noch fünf Minuten.« Das Haus sah aus, als würde es jeden Moment lautlos und plötzlich in sich zusammenfallen. Ich stieg aus und schloß die Wagentür so vorsichtig, als könne jede Erschütterung eine zuviel sein, und auch Stein lief auf Zehenspitzen auf das Haus zu. Das Haus war ein Schiff. Es lag am Rand dieser canitzschen Dorfstraße wie ein in lange vergangener Zeit gestrandetes, stolzes Schiff. Es war ein großes, zweistöckiges Gutshaus aus rotem Ziegelstein, es hatte ein skelettiertes Giebeldach mit zwei hölzernen Pferdeköpfen zu beiden Seiten, in den meisten Fenstern waren keine Scheiben mehr. Die windschiefe Veranda wurde nur noch vom dichten Efeu zusammengehalten, und durchs Mauerwerk liefen daumendicke Risse. Das Haus war schön. Es war *das* Haus. Und es war eine Ruine.

Das Tor, von dem Stein versuchte, das Schild mit der Aufschrift »Zu verkaufen« zu entfernen, sank mit einem Klagelaut um. Wir stiegen darüber hinweg, dann blieb ich stehen, erschrocken über Steins Gesichtsausdruck, und sah, wie er hinter dem Efeu der Veranda verschwand. Kurz darauf fiel ein Fensterrahmen aus dem Haus, Steins fieberndes Gesicht erschien zwischen den Glaszacken einer Scheibe, angeleuchtet vom Schein einer Petroleumlampe.

»Stein!« rief ich. »Komm da raus! Es stürzt zusammen!«

»Komm rein!« rief er zurück. »Es ist doch mein Haus!«

Ich fragte mich kurz, weshalb das beruhigend sein sollte, dann stolperte ich über Mülltüten und Schrott auf die Veranda zu. Ihre Bretter ächzten, der Efeu verschluckte sofort jedes Licht, ich schob angewidert die Ranken beiseite, und dann zog mich Steins eiskalte Hand in den Hausflur hinein. Ich griff zu. Ich griff nach seiner Hand, plötzlich wollte ich seine Berührung nicht wieder verlieren, und erst recht nicht den Schein seiner kleinen Petroleumfunzel; Stein summte, und ich folgte ihm.

Er stieß alle Fensterläden in den Garten hinaus, und wir sahen das letzte Tageslicht durch die roten Scheibensplitter der Türen. Das Schlüsselbund, das schwer in meiner Jackentasche wog, war überhaupt nicht notwendig, alle Türen standen offen oder waren nicht mehr vorhanden. Stein leuchtete, zeigte, beschrieb, stellte sich atemlos vor mich hin, wollte etwas sagen, sagte nichts, zog mich weiter. Streichelte Treppengeländer und Klinken, klopfte gegen Wände, zupfte Tapete herunter und bestaunte den staubigen Putz, der darunter zum Vorschein kam. Er sagte: »Siehst du?« und: »Fühl mal!« und: »Wie findest du das?«, ich brauchte ihm nicht zu antworten, er redete zu sich selbst. Er kniete sich in der Küche auf den Boden, wischte mit den Händen den Dreck von den Fliesen und sprach vor sich hin; ich klammerte mich die ganze Zeit über an ihn und war doch nicht mehr vorhanden. An den Wänden hatten Jugendliche ihre Markierungen hinterlassen – *Geh zu ihr, und laß deinen Drachen steigen. Ich war hier. Mattis. No risk, no fun* – ich sagte: »Geh zu ihr, und laß deinen Drachen steigen«, Stein drehte sich plötzlich irr zu mir herum und sagte: »Was?«, ich sagte: »Nichts.« Er packte mich am Arm und schob mich vor sich her, stieß die Hintertür mit einem Fußtritt in den Garten hinaus und mich eine kleine Treppe herunter. »Hier.«

Ich sagte: »Was – hier.«

»Na alles!« sagte Stein, ich hatte ihn noch nie so unverschämt erlebt. »See, märkisch, Kastanien auf dem Hof, drei Morgen Land, ihr könnt euer gottverdammtes Gras hier anbauen und Pilze und Hanf und Scheiße. Platz genug, verstehst du? Platz genug! Ich mach euch hier 'nen Salon und 'n Billardzimmer und 'n Raucherzimmer, und jedem seinen eigenen Raum und großer Tisch hinterm Haus für Scheißessen und Dreck, und dann kannste aufstehen und zur Oder laufen und dir da Koks einfahren, bis dir der Schädel platzt«, er drehte grob meinen Kopf aufs Land hinaus, es war zu dunkel, ich konnte fast nichts mehr erkennen, ich fing an zu zittern.

Ich sagte: »Stein. Bitte. Hör auf.«

Er hörte auf. Er schwieg, wir schauten uns an, wir atmeten heftig und fast im gleichen Rhythmus. Er legte seine Hand langsam an mein Gesicht, ich zuckte zurück, er sagte: »In Ordnung. In Ordnung, in Ordnung. O.K.«

Ich stand still. Ich verstand nichts. Sehr fern verstand ich doch etwas, aber es war noch viel zu weit weg. Ich war erschöpft und matt, ich dachte an die anderen und spürte eine kurze Wut darüber, daß sie mich hier alleine gelassen hatten, daß niemand da war, Christiane nicht, Anna nicht, Heinze nicht, um mich vor Stein zu schützen. Stein scharrte mit den Füßen herum und sagte: »Tut mir leid.«

Ich sagte: »Macht nichts. Schon gut.«

Er nahm meine Hand, seine Hand war jetzt warm und weich, er sagte: »Also, die Sonne hinterm Kirchturm.«

Er wischte auf der Veranda den Schnee von den Treppenstufen und forderte mich zum Sitzen auf. Ich setzte mich. Mir war unglaublich kalt. Ich nahm die angezündete Zigarette, die er mir hinhielt, rauchte, starrte auf den Kirchturm, hinter dem die Sonne schon untergegangen war. Ich hatte das schuldige Gefühl, irgend etwas Zukunftsweisendes, Optimistisches sagen zu müssen, ich fühlte mich verwirrt, ich sagte: »Ich würde den Efeu von der Veranda wegmachen, im Sommer. Sonst können wir nichts sehen, wenn wir hier sitzen wollen und Wein trinken.«

Stein sagte: »Mach ich.«

Ich war mir sicher, daß er überhaupt nicht zugehört hatte. Er saß neben mir, er sah müde aus, er schaute auf die leere, schneeweiße, kalte Straße; ich dachte an den Sommer, an die Stunde in Heinzes Garten in Lunow, ich wünschte mir, daß mich Stein noch einmal so ansehen würde, wie er mich damals angesehen hatte, und ich haßte mich dafür. Ich sagte: »Stein, kannst du mir was sagen, bitte? Kannst du mir vielleicht irgend etwas erklären?«

Stein schnickte seine Zigarette in den Schnee, sah mich nicht an, sagte: »Was soll ich dir denn sagen. Das hier ist eine Möglichkeit, eine von vielen. Du kannst sie wahrnehmen, oder du kannst es bleiben lassen. Ich kann sie wahrnehmen, oder abbrechen und woanders hingehen. Wir können sie zusammen wahrnehmen oder so tun, als hätten wir uns nie gekannt. Spielt keine Rolle. Ich wollt's dir nur zeigen, das ist alles.«

Ich sagte: »Du hast 80 000 Mark bezahlt, um mir eine Möglichkeit zu zeigen, eine von vielen? Hab ich das richtig verstanden? Stein? Was soll das?«

Stein reagierte nicht. Er beugte sich vor und sah angestrengt auf die Straße, ich folgte seinem Blick; die Straße war dämmrig, der Schnee reflektierte das letzte Licht und blendete. Auf der anderen Straßenseite stand jemand. Ich kniff die Augen zusammen und richtete mich auf, die Gestalt war vielleicht fünf Meter entfernt, sie drehte sich um und lief in den Schatten zwischen zwei Häusern. Ein Gartentor klappte, ich war überzeugt, das Kind aus Angermünde erkannt zu haben, das blasse, blöde Kind, das sich an den Kittel der Frau gekrallt hatte.

Stein stand auf und sagte: »Laß uns fahren.«

Ich sagte: »Stein – das Kind. Aus Angermünde. Warum steht es hier auf der Straße herum und beobachtet uns?«

Ich wußte, daß er nicht anworten würde. Er hielt mir die Wagentür auf, ich blieb vor ihm stehen, ich wartete auf irgend etwas, auf eine Berührung, auf eine Geste. Ich dachte: ›Du wolltest doch immer mit uns sein.‹

Stein sagte kühl: »Danke, daß du mitgekommen bist.«

Da stieg ich ins Auto.

Was für eine Musik wir auf der Rückfahrt gehört haben, weiß ich nicht mehr. Ich habe Stein in den darauffolgenden Wochen auch nur selten gesehen. Die Seen froren zu, wir kauften Schlittschuhe, zogen nachts mit Fackeln durch den Wald und aufs Eis hinaus. Wir hörten Paolo Conte aus Heinzes Ghettoblaster, schluckten Ecstasy und lasen uns die besten Stellen aus Bret Easton Ellis *American Psycho* vor. Falk küßte Anna, und Anna küßte mich, und ich küßte Christiane. Stein war manchmal dabei. Er küßte Henriette, und wenn er das tat, schaute ich weg. Wir gingen uns aus dem Weg. Er hatte niemandem erzählt, daß er das Haus nun endlich gekauft hatte, er hatte nicht erzählt, daß er mit mir rausgefahren war. Ich auch nicht. Ich dachte nicht an das Haus, aber manchmal, wenn wir mit seinem Taxi zurück in die Stadt fuhren, und unsere Schlittschuhe und Fackeln in den Kofferraum warfen, entdeckte ich dort Dachpappe, Tapeten und Wandfarbe.

Im Februar brach Toddi auf dem Griebnitzsee ein. Heinze raste auf Schlittschuhen über das Eis, reckte seine Fackel hoch und schrie: »Was für'n Spaß wir haben können, was für'n Heidenspaß, ich faß es nicht!«, er war völlig besoffen, und Toddi schlitterte hinter ihm her, und wir riefen: »Sag *Blau*, Toddi! Sag es!«, und dann knackte es, und Toddi verschwand.

Wir standen still. Heinze zog mit offenem Mund eine großartige Schleife, das Eis summte, von unseren Fackeln tropfte zischend Wachs. Falk rannte los, stolpernd auf Schlittschuhen, Anna riß ihren Schal herunter, Christiane hielt sich dümmlich die Hände vors Gesicht und kreischte dünn. Falk robbte auf dem Bauch, Heinze war nicht mehr zu sehen. Falk schrie nach Toddi, und Toddi schrie zurück. Anna warf ihren Schal, Henriette klammerte sich an Falks Füße, ich blieb stehen. Stein blieb auch stehen. Ich nahm die angezündete Zigarette, die er mir hinhielt, er sagte: »*Blau*«, ich sagte: »*Kalt*«, und dann fingen wir an zu lachen. Wir lachten und krümmten uns und legten uns aufs Eis, und die Tränen liefen uns übers Gesicht; wir lachten und konnten nicht mehr aufhören, auch dann nicht, als sie Toddi brachten, naß und zitternd, und Henriette sagte: »Seid ihr bescheuert, oder was.«

Im März verschwand Stein. Er erschien nicht zu Heinzes dreißigstem Geburtstag und nicht zu Christianes Premiere und auch nicht zu Annas Konzert. Er war weg, und als Henriette blöde unauffällig fragte, wo er sei, zuckten sie mit den

Schultern. Ich zuckte nicht mit den Schultern, aber ich schwieg. Eine Woche später kam die erste Karte. Es war ein Foto der Dorfkirche von Canitz, und auf der Rückseite stand:

Das Dach ist dicht. Das Kind putzt sich die Nase, spricht nicht, ist immer da. Auf die Sonne ist Verlaß, ich rauche, wenn sie geht, ich habe was gepflanzt, das kannst du essen. Den Efeu schneid ich, wenn du kommst, du weißt, du hast die Schlüssel immer noch.

Danach kamen regelmäßig Karten, ich wartete, wenn sie einen Tag ausblieben, war ich enttäuscht. Es waren immer Fotos der Kirche und immer vier oder fünf Sätze, wie kleine Rätsel, manchmal schön, manchmal unverständlich. Stein schrieb oft ... *wenn du kommst*. Er schrieb nicht: »Komm.« Ich beschloß, auf das »Komm« zu warten, und dann loszufahren. Im Mai kam keine Karte, aber ein Brief. Ich betrachtete Steins ungelenke, große Handschrift auf dem Umschlag, kroch zu Falk ins Bett zurück und riß das Papier auf. Falk schlief noch und schnarchte. Im Umschlag war ein aus dem Angermünder Anzeiger ausgeschnittener Zeitungsartikel, Stein hatte das Datum auf die Rückseite gekritzelt. Ich schob Falks schlafwarmen Körper beiseite, faltete den Artikel auseinander und las:

REGIONALES

In der Nacht zu Freitag brannte in Canitz das ehemalige Guts-
haus bis auf die Grundmauern ab. Der Besitzer, ein Berliner,
der das im 18. Jahrhundert erbaute Haus vor einem halben
Jahr gekauft und wieder instandgesetzt hatte, ist seitdem als
vermißt gemeldet. Die Unglücksursache steht noch nicht fest,
die Polizei schließt Brandstiftung bisher nicht aus.

Ich las das drei Mal. Falk bewegte sich. Ich starrte von dem
Artikel auf Steins Handschrift auf dem Briefumschlag und
zurück auf den Artikel. Der Poststempel auf der Briefmarke
war aus Stralsund. Falk wachte auf, sah mich einen Moment
lang teilnahmslos an, griff dann nach meinem Handgelenk
und fragte mit der fiesen Schläue der Dummen:

»Was ist das?«

Ich zog meine Hand weg, stieg aus dem Bett und sagte:
»Nichts.«

Ich ging in die Küche und stand zehn Minuten lang
stumpfsinnig vor dem Herd herum. Die Uhr über dem Herd
tickte. Ich lief ins hintere Zimmer, zog die Schreibtischschub-
lade auf und legte den Briefumschlag zu den anderen Karten
und dem Schlüsselbund. Ich dachte: »Später.«

Camera Obscura

Der Künstler ist sehr klein. Marie weiß manchmal nicht, ob noch alles mit ihr in Ordnung ist, der Künstler ist viel zu klein; sie denkt: Du hast sie nicht mehr alle, meint sich selbst, vielleicht weil es Herbst wird, weil die altbekannte Unruhe beginnt, das Frösteln im Rücken, der Regen?

Der Künstler ist wirklich sehr klein. Bestimmt drei Köpfe kleiner als Marie. Er ist berühmt, in Berlin zumindest kennt ihn jeder, er macht Kunst mit dem Computer, er hat zwei Bücher geschrieben, nachts redet er manchmal im Radio. Der Künstler ist zudem noch häßlich. Er hat einen ganz kleinen, proletarischen Kopf, er ist sehr dunkel, manche Leute sagen, er hätte spanisches Blut. Sein Mund ist unglaublich schmal. Nicht vorhanden. Seine Augen aber sind schön, ganz schwarz und groß, meist hält er sich beim Reden so die Hand vors Gesicht, daß man nur diese Augen sehen kann. Der Künstler ist katastrophal angezogen. Er trägt zerrissene Jeans – in Kindergröße, denkt Marie –, immer eine grüne Jacke, immer Turnschuhe. Ums linke Handgelenk hat er ein schwarzes Lederband geknüpft. Manche Leute sagen, der Künstler sei trotz allem unglaublich intelligent.

Marie will was von dem Künstler. Was sie von ihm will, weiß sie nicht. Vielleicht den Glanz seiner Berühmtheit. Vielleicht noch schöner sein neben einem häßlichen Menschen. Vielleicht eindringen, zerstörerisch, in eine scheinbare Ungerührtheit. Marie fragt sich ernsthaft, ob mit ihr noch alles in Ordnung ist. Sehen sie nicht doch eher lächerlich aus zusammen? Marie hat immer nur mit schönen Menschen zusammen sein wollen. Es ist gruselig, zu einem Mann hinunterschauen zu müssen. Es ist gruselig, sich vorzustellen, wie das sein soll, wenn… Trotzdem will Marie.

Am allerersten Abend küssen sie sich. Oder besser, küßt Marie den Künstler. Er steht plötzlich vor ihr, auf diesem Fest, zwischen all den Berliner Berühmtheiten, und Marie weiß nicht zu entscheiden, welcher Berühmtheit sie an diesem Abend ihren langen, langen Blick zuerst schenken soll. Der Künstler bietet sich an. Er steht plötzlich vor ihr, mit diesen schönen, schwarzen Augen, und Marie, die ihn im Fernsehen gesehen hat, erkennt ihn sofort. Er gießt ihr unentwegt Wodka ins Glas und stellt schwierige Fragen. Was ist glücklich sein für dich. Hast du schon einmal jemanden verraten. Ist es dir unangenehm, wenn du etwas nur wegen deines Äußeren erreichst.

Marie trinkt Wodka, ist zögerlich, sagt – Glück ist immer der Moment davor. Die Sekunde vor dem Moment, in dem ich eigentlich glücklich sein sollte, in dieser Sekunde bin ich glücklich und weiß es nicht. Ich habe schon viele Menschen verraten, glaube ich. Und ich finde es schön, Dinge wegen meines Äußeren zu erreichen.

Der Künstler starrt sie an. Marie starrt zurück, das kann sie gut. Um sie herum werden die Leute unruhig, der Künstler ist tatsächlich zu klein und zu häßlich. Eher aus Trotz als aus Solidarität beugt sich Marie herunter, nimmt den Kopf des Künstlers in beide Hände und küßt ihn auf den Mund. Er küßt sie zurück, selbstverständlich. Dann gibt Marie ihm ihre Telefonnummer und geht, spürt erst draußen an der kalten und klaren Nachtluft, wie betrunken sie eigentlich ist.

Der Künstler wartet drei Tage lang, dann ruft er sie an. Hat er tatsächlich – gewartet? Marie nimmt das an. Sie verbringen einen Abend in einer Bar, in der Marie friert und Schwächeanfälle bekommt, weil der Künstler sie ununterbrochen ansieht und sich nicht unterhalten will. Sie gehen an einem Vormittag im Park spazieren, der Künstler trägt eine schicke Sonnenbrille, die Marie gefällt. Sie sitzen einen Nachmittag lang im Café, Marie erzählt ein wenig von sich, ansonsten schweigt sie, der Künstler sagt, er würde Gespräche auf einer Metaebene nicht mögen.

Marie weiß nicht, was eine Metaebene sein soll. Wenn sie sich mit ihm trifft, zieht sie sich das einzige Paar flacher Schuhe an, das sie besitzt, der Größenunterschied zwischen ihnen ist ihr peinlich. Es ist Herbst. Durchs geöffnete Fenster von Maries Zimmer taumeln sterbende Wespen herein. Marie friert und trägt Handschuhe, die Tage sind schon kurz, und sie ist sehr oft müde. Manchmal legt sie den Kopf in den Nacken und versucht, perlend zu lachen. Es geht nicht richtig. Einmal fragt der Künstler, ob sie irgendwann mit ihm zwei Tage an die Ostsee fahren wolle. Marie sagt: Ja, denkt an Orte wie Ahlbeck, Fischland und Hiddensee, an den langen, weißen, winterlichen Strand, an Muscheln und ein unbewegtes Meer. Sie denkt nicht an den Künstler. Sie steht am Fenster, eine Tasse mit kaltem Tee in der Hand, und starrt auf die Straße. Sie ist verwirrt in diesen Tagen, steckt sich die glühende Zigarette falsch herum in den Mund, läßt den Wasserhahn laufen, verliert ihr Schlüsselbund. Einmal ruft der Künstler an und sagt tatsächlich: Ich liebe dich. Marie hockt auf dem Boden, den Telefonhörer zwischen Kopf und Schulter geklemmt, und schaut in den Spiegel. Sie macht die Augen langsam zu und langsam wieder auf. Der Künstler sagt jetzt nichts mehr, aber sie hört ihn atmen, leise, regelmäßig, ruhig. Er ist nicht aufgeregt. Marie auch nicht. Wiederum sagt sie: Ja, es wundert sie, daß das so schnell kommt. Der Künstler legt auf.

Wenn Marie an seine Augen denkt, spürt sie ein Ziehen im Rücken. Seine Augen sind wirklich schön. Sie wartet nicht darauf, daß er anruft, sie weiß, er wird anrufen. Der Künstler scheint mit seiner Zwergenhaftigkeit ganz zufrieden zu sein. Er unterstreicht sie, indem er sich zappelig und clownesk bewegt, er geht wie ein Zinnsoldat, manchmal macht er mitten auf der Straße einen Handstand, schneidet Grimassen, zaubert Geldstücke in sein Ohr hinein und aus der Nase wieder heraus. Er hat Marie seit dem Kuß auf dem Fest nie wieder berührt. Sie ihn auch nicht. Wenn sie sich verabschieden, tut er so, als würde er seine Hand auf ihren Arm legen, aber er zieht sie im letzten Moment immer wieder zurück. Was ist, wenn du meinen Blick so lange erwiderst, fragt er, Marie antwortet: Nähe, Aggression. Sexualität auch, Einverständnis. Sie weiß nicht, ob das stimmt. Der Künstler kann nicht lächeln. Wenn er meint, zu lächeln, kneift er doch nur die Augen zu schmalen Schlitzen zusammen und zieht die Mundwinkel empor. Marie findet das nicht überzeugend, und sie sagt es ihm, Triumph in der Stimme. Kann sein, sagt der Künstler und sieht zum ersten Mal verletzt aus.

Einmal, nachts, in einem Café, da ist Marie schon sehr betrunken, fragt sie ihn, ob er daran denken würde, mit ihr ins Bett zu gehen. Sie weiß, daß das falsch ist, aber sie kann die Frage nicht zurückhalten, seit Tagen schon möchte sie das fragen. Der Künstler sagt: Es hat sicher Frauen gegeben, bei denen ich es eher darauf angelegt habe. Marie ist empört, verschränkt die Arme vor der Brust und beschließt, jetzt überhaupt nichts mehr zu sagen. Der Künstler trinkt Wein, raucht, schaut sie an, sagt dann: Besser, du gehst jetzt, und Marie fährt auf ihrem Fahrrad nach Hause, sehr wütend.

Danach ruft sie ihn an. Ich habe keine Lust, mich von dir beobachten zu lassen, sagt der Künstler, ist aber dennoch bereit, sie zu sehen. Er erinnert Marie in gewisser Weise an ein Tier. Ein Tierchen. Ein kleines, schwarzes, behaartes, unheimliches Äffchen. Sie stellt die flachen Schuhe in den Schrank, zieht die hochhackigen Stiefel an und fährt mit dem Fahrrad zum ersten Mal in seine Wohnung.

Der Künstler öffnet ihr erst nach dem dritten Klingeln die Tür, er trägt seine Turnschuhe, seine zerrissene Jeans, seinen schwarzen Pullover. Er hat Marie einmal erzählt, daß er sich immer fünfzehn kleine Pullover auf einen Schlag kaufen und diese dann alle schwarz einfärben würde. In der Wohnung ist es warm. Seltsam aufgeräumt und ordentlich. Orange gestrichene Wände, Unmengen von Büchern, CDs, Schallplatten. Möchtest du Tee, fragt der Künstler, ja, sagt Marie und setzt sich an seinem Schreibtisch, der nicht am Fenster, sondern an der hinteren Zimmerwand steht, auf den einzigen Stuhl. Über dem Tisch an die Wand gepinnte Postkarten, Zeitungscomics, Fotos, Briefe. Schichten von kleinen, übereinanderhängenden Papieren. Der Künstler irgendwo im Süden, ein blondes, pausbäckiges Kind auf dem Arm. Spielpläne von Theatern, eine Buchkritik, säuberlich ausgeschnitten. Ein Streifen Paßfotos, der Künstler, weil zu klein, von oben, das Blitzlicht als einen weißen Fleck auf der Stirn. Ein Satz, im Großdruck auf gelbem Papier: »In den Zeiten des Verrats sind die Landschaften schön.« In der Küche klappert der Künstler mit Tassen herum, Marie beißt sich auf die Unterlippe, ist befangen und nervös. Sie hört seine näherkommenden Schritte auf dem Korkteppich knistern, dreht sich zu ihm herum, setzt ein steifes Lächeln auf. Der Künstler stellt die Tassen auf der Glasplatte des Schreibtisches ab, fragt: Musik? Marie zuckt mit den Schultern, klammert sich an ihre Tasse, der Künstler legt eine CD ein. In den Lautsprecherboxen knackt es, Polly Jane Harveys Stimme kommt von sehr fern – *Is that all there is?* Depressionsmusik, denkt Marie und überlegt, ob sie das jetzt laut sagen sollte. Der Künstler kreist um sie herum, er sieht sehr selbstzufrieden und sicher aus, er beobachtet sie und zieht ein spöttisches Gesicht. Marie räuspert sich. Der Künstler sagt: Wie wärs mit ein bißchen Internet? Marie antwortet: Davon verstehe ich nichts, der Künstler sagt sehr freundlich: Das macht nichts.

Er schaltet seinen Computer ein, es sirrt leise, das Schwarz des Bildschirms springt über in ein helles, klares Blau. Ein lächelnder Miniaturcomputer erscheint, auf dem linken unteren Rand des Bildschirms klappen sich verschiedene kleine Symbole auf. Marie verdreht die Hände im Schoß und ist sehr verlegen. Der Künstler bedient Tasten, kreist sachte mit der Maus herum, zieht hinter dem Computer eine faustgroße, graue Kugel hervor, in deren Mitte ein schwarzglänzendes Auge sitzt. Er stellt die Kugel in die Mitte des Schreibtisches und richtet ihr schwarzglänzendes Auge direkt auf Maries Gesicht. Marie starrt die Kugel an, der Künstler kreist sachte mit der Maus herum, der Bildschirm wird weiß. Auf seinem linken, oberen Rand erscheinen jetzt helle und dunkelgraue winzige Quadrate, ein Raster aus kleinen Punkten, das sich stumm und geschwind über die Bildfläche ergießt. Maries Scheitel, Maries Stirn, Maries Augenbrauen, ihre Augen, ihre Nase, Mund, Kinn, Hals, Brustansatz, ein schwarzweißes, unheimliches Mariegesicht.

Das ist gräßlich, sagt Marie. Das Mariegesicht auf dem Bildschirm wiederholt zeitverzögert und lautlos: Das ist gräßlich, klappt Augen und Mund auf und zu, fischig, gruselig, schrecklich. Es ist nur unausgereift, sagt der Künstler,

tippt ein wenig auf der Computertastatur herum, das Mariegesicht wird schärfer und klarer in den Konturen, im Hintergrund erscheint die rechte Bücherwand des Zimmers, das
Fenster, der Himmel draußen, auf dem Bildschirm grau, grau
auch in Wirklichkeit. Man kann schon fast alles damit filmen, sagt der Künstler, lächelt Marie unüberzeugend und
freundlich an, Marie lächelt unüberzeugt zurück. Es ist still.
Marie hält dem Blick des Künstlers, der jetzt nicht mehr
lächelt, stand. Zwischen seinen Augenbrauen wächst ein
drittes, schwarzes und schönes Auge heraus. Marie blinzelt,
und das Auge verschwindet wieder. Der Computer rauscht,
Marie wagt es nicht, auf die Bildfläche zu schauen, sie
hat Angst vor dem unheimlichen und grauen Mariegesicht.
Der Korkteppich knistert, weil der Künstler jetzt auf sie
zukommt. Marie drückt ihren Rücken gegen die Lehne des
Stuhls und starrt unverwandt in die Künstleraugen, als
könne sie so das Schreckliche abwenden. Der Künstler legt
seine rechte Hand an Maries Wange, die Hand ist kühl und
weich. Marie macht ganz kurz die Augen zu. Dann ist sein
Gesicht direkt vor ihrem, Marie hört auf zu atmen, und er
küßt sie auf den Mund. Marie ist sehr nüchtern. Er ist es wohl
auch. Auf dem Bildschirm des Computers erscheint der Kuß,
zeitverzögert und lautlos, graue Wiederholung eines Augen-
blicks. Marie schaut jetzt doch hin, am Gesicht, an den geschlossenen Augen des Künstlers vorbei auf den Bildschirm,
auf dem sich sein Gesicht an ihres schmiegt, ihr Gesicht ver-
drängt, sie die Augen öffnet, in Schwarzweiß.

Etwas dreht sich in Maries Kopf. Der Künstler atmet, drängt sich an Marie heran, drängt seine Hand um ihren Nacken, ihren Rücken hinunter, unter ihr Kleid. Marie ist konzentriert. Anstatt sich selbst, wie sonst immer, von oben aus einer Art Vogelperspektive zu sehen, sieht sie auf den Bildschirm, auf diese schweigende, fremde Verknotung zweier Menschen, und das ist seltsam. Im Zimmer ist es warm. Über dem Schreibtisch hängen Schichten von kleinen Papieren, der Künstler irgendwo im Süden, ein blondes, pausbäckiges Kind auf dem Arm. Es ist schade, denkt Marie, daß man die Dinge immer nur einmal zum ersten Mal sieht.

Der Künstler zieht Marie vom Stuhl hinunter auf den Boden. Marie hat irgendwann nur noch ihre hochhackigen Stiefel an, und dann auch diese nicht mehr. Auf der Bildfläche des Computers ist eine Bücherwand zu sehen, die Rückenlehne eines leeren Stuhls, ein Fenster, draußen ein dunklerer Himmel.

Diesseits der Oder

Koberling steht auf dem Hügel, als sie kommen. Der Hügel ist eine Aufschüttung Erde in der Mitte des Gartens, vor zwei Jahren von Koberling eigenhändig angelegt, »Feldherren-hügel« hatte Constanze damals lachend gesagt, er hatte ge-antwortet »Napoleonhügel«, und dabei blieb es. Von hier aus kann er den Rasen überschauen, die Veranda, den schattigen Eingang zur Küche und die geschwungenen Wiesen, hinter denen die Oder liegt.

Koberling steht auf dem Napoleonhügel und raucht eine Zigarette, hält die Hand vor die Augen, starrt zum Horizont. Irgendwo dort hinten ist die Oder, verborgen im Fluß-bett. Irgendwo dort hinten ist auch Constanze, auf dem täg-lichen Spaziergang in dieser Nachmittagswärme. Das Kind schläft in der Küche, erschöpft vom Sommer. Koberling ver-treibt eine Wespe, denkt an den Herbst. Das Motorgeräusch kommt den Sandweg hinaufgekrochen wie eine Täuschung. Koberling wendet lauschend den Kopf und kneift die Augen zusammen, nie, niemals kommt ein Auto den Sandweg hin-aufgefahren, außer seinem eigenen. Keine Täuschung. Ein Dieselgeräusch, ein Knirschen von Steinchen, Koberling fas-sungslos und mit klopfendem Herzen. Der alte Benz taucht in seinem rechten Augenwinkel auf. Koberling verharrt in

Bewegungslosigkeit, will unsichtbar sein, denkt: Fahrt weiter. Der Benz hält vor dem Gartentor, Straßenstaub wirbelt hoch, auf der Beifahrerseite öffnet sich die Tür, und Anna steigt aus. Koberling erkennt sie sofort. Sie sieht genauso aus wie früher, wie damals, größer nur, länger, ein großgewordenes Kind. »Koberling!« Sie schreit seinen Namen und stakst auf Hackenschuhen ums Auto herum, am Gartentor bleibt sie stehen. Sie hat ein rotes Kleid an und ist sehr braun. Auf der Fahrerseite wird das Fenster heruntergekurbelt und ein junger Mann mit verfilzten Haaren steckt gähnend den Kopf raus, Koberling spürt eine Aufregung im Magen und sagt ganz leise und bösartig: »Kiffer.«

»Du!« schreit Anna. »Wir kommen aus Polen, wir haben kein Geld mehr, wir dachten, wir könnten bei dir bleiben, nur noch ein paar Tage. Koberling! Erkennst du mich?«

Koberling drückt die Zigarette mit dem Fuß aus und klettert den Hügel herunter. »Ich erkenne dich. Ich kann dich verstehen. Kein Grund, so zu schreien.«

Anna hat die Hand auf der Torklinke, und der Kiffer schält sich träge aus dem Auto, Koberling kann jetzt sehen, daß er eine unglaublich verdreckte Jeans trägt. Aus der Küche ruft Max mit verschlafener und spröder Kinderstimme, Koberling weiß, wie das Licht auf der Schlafbank am Fenster ist und daß die Fliegen um die Lampe kreisen, er fühlt sich plötzlich überfordert und schwach. Wo ist Constanze, denkt er, Constanze, die mir das hier jetzt abnehmen könnte, weil ich keine Gäste will und Kiffer erst recht nicht.

Er wischt sich den Schweiß von der Oberlippe und läuft über den Kiesweg aufs Gartentor zu. Der Kies knirscht erstaunlich laut. Anna, denkt Koberling. Anna. Du und dein Clownsvater, alberner Faxenmacher, Zirkusdämlack. Als du ein Kind warst, habe ich dir einmal eine runtergehauen, weil du mir auf der Wiese vor eurem Haus beim Meditieren auf den Rücken gesprungen bist. Als du ein Kind warst, warst du mir gleich. Ich habe mit deinem Clownsvater in der Küche gesessen, und wir haben geredet und getrunken, bis wir unter den Tisch fielen. Du bist mir höchstens auf die Nerven gegangen, mit deinem schokoladenverschmierten Mund, und du gehst mir auch jetzt auf die Nerven.

Koberling schiebt den Riegel zurück und reißt das Gartentor auf, lächelt wie ein Idiot, schwitzt unwahrscheinlich. »Mensch, Koberling«, sagt Anna, grinst und schiebt eine Art von »Ach« hinterher. »Mensch, Koberling. Das muß Jahre her sein, daß wir uns das letzte Mal gesehen haben. Jahre!«

»Ja«, sagt Koberling, »Jahre.«

Der Kiffer geht zwei lässige Schritte auf Koberling zu und reicht ihm eine dreckige Hand. Koberling nimmt sie nicht. Er bleibt schützend am Tor stehen, als würden sie so schon begreifen, als würde allein die stumme und angespannte Bastion seines Körpers deutlich machen können, daß sie wieder gehen sollten. Daß Gäste hier nicht erwünscht waren. Daß alte Freundschaften nicht mehr galten. Aber sie begreifen nicht. Stehen da und glotzen. Koberling dreht sich um, geht über den Kiesweg zurück zur Veranda und sagt ins

Himmelsblau hinein: »Ihr könnt bleiben, wenn ihr wollt. Es gibt ein Zimmer für Gäste unter dem Dach.«

Gegen Abend kommt Constanze von ihrem Spaziergang zurück, nicht später als gewöhnlich, für Koberling so spät wie nie. Er sitzt mit Anna und dem Kiffer, dessen Namen er nicht wissen will, auf der Veranda und raucht eine Zigarette nach der anderen. Max hockt vor dem Kiffer auf dem Boden und läßt sich wirre Geschichten erzählen, Außerirdische, Druiden, Neu-Guinea, Weltuntergänge. Max hat den Mund weit offen, ein Speichelfaden läuft sein Kinn hinunter, seine linke Hand liegt auf dem Schuh des Kiffers, ab und an zieht er leise und unabsichtlich an dessen Schuhbändern. Koberling verachtet Max für die vorurteilslose Vertrautheit, die dieser dem Kiffer entgegenbringt. Ein Idiot, denkt Koberling. Max, das ist das, was ich einen Idioten nennen würde.

Anna sitzt mit gekreuzten Beinen auf einem Korbstuhl, starrt Koberling an und verfällt in Kindheitserinnerungen. »Irgendwas war mal mit dir, Koberling. Irgendeine komische Geschichte, mir fällt es nicht ein. Ich weiß nur noch, daß du mit meinem Vater bis spät in die Nacht hinein am Küchentisch zusammengesessen hast. Du. Koberling. Weißt du's noch?«

Koberling macht keine Anstalten, ihr auf die Sprünge zu helfen. Er könnte die Geschichte mit der Ohrfeige hervorholen. Er könnte ihr erzählen, daß sie wirklich haselnußbraun gewesen war, als Kind, in diesen Sommern auf dem Land. Er könnte ihr schmeicheln und sie an all die Kinderkalauer erinnern, die sie von sich gegeben und die ihr Clownsvater stolz in einem orangefarbenen Notizbuch aufgelistet hatte. Er könnte ihr sagen, daß sie sehr mager und sehnig gewesen war, am Morgen über die Flußbrücke im Wald verschwand und erst am Abend zurückkam, zerkratzt und mit Zecken an den Waden. Er könnte sagen: »Dein Clownsvater hat dich in Ruhe gelassen. Er hat dich machen lassen, was du wolltest, und so warst du einfach den ganzen Tag lang verschwunden. Du warst nicht richtig da, für niemanden von uns, und vermutlich ist das heute dein großes Kindheitstrauma.«

Er hat aber keine Lust. Sie interessiert ihn nicht. Ihr Clownsvater interessiert ihn nicht mehr. Er möchte hier sitzen, den Mund halten, ungestört sein. Koberling zündet sich eine neue Zigarette an und spürt, daß er die ganze Zeit über die Zähne zusammenbeißt. Constanze kommt über den Kiesweg gelaufen, federnd, gräßlich entspannt. Zu spät, denkt Koberling, zu spät, meine Liebe, denn jetzt sind sie da, und so schnell werden sie nicht wieder gehen.

Constanze erkennt Anna sofort. Lächelt strahlend und überzeugend, klatscht leise in die Hände und schlägt sie dann kurz vors Gesicht. Lacht. Stemmt die Hände in die Seiten. Koberling ist angeekelt. Kann in Gedanken mitsprechen, was sie jetzt sagen wird – »Anna! Kleine, dünne Anna und mindestens fünfzehn Jahre älter als damals. Ich will's nicht glauben, da sitzt du hier!« Anna strahlt, sieht verlegen aus, stellt den Kiffer vor, schaut zu Koberling herüber, scheu.

Koberling schiebt mit einem Ruck seinen Stuhl zurück und flüchtet in die Küche. Kleine, dünne Anna. Ein Blödsinn. Er räumt Oliven aus dem Kühlschrank, Käse, Salami. Brot schneiden, Wein entkorken, so wie damals, so wie immer. Jetzt wird Abendbrot gegessen, denkt Koberling. Jetzt wird gegessen, jetzt wird irgend etwas getan, und wenn's nur gottverdammtes Essen ist.

Die Dunkelheit kommt früh, weil es Herbst wird. Unter den Pflaumenbäumen im hinteren Teil des Gartens ist das Licht schon grau; die Oder wird jetzt rosa und hellblau sein. Koberling denkt, daß er 47 Jahre gebraucht hat, um festzustellen, daß Kornfelder und Seen und Flüsse noch einmal hell werden, bevor es Nacht wird. Er hat dieses Haus gebraucht, um das festzustellen. Vielleicht auch Max, vielleicht auch Constanze. Wenn alles so wäre wie immer, würde das Kind jetzt schon schlafen, mit roten Backen und leise schnorchelndem Atem. Er würde mit Constanze auf der Veranda sitzen und lesen oder schweigen. Er würde sich irgendwann an den Computer setzen und zwei, drei Sätze an diesen Drehbuchdialogen schreiben, mit denen er sein Geld verdient. Zwei, drei kleine und fremde Sätze, wie jeden Abend. Das Licht der Schreibtischlampe würde grün sein, weil Grün beruhigt. Die Motten würden gegen das Insektengitter vor dem Fenster taumeln, und er würde denken, daß es gut und beschissen zugleich war, so zu leben.

Jetzt aber steht der Kiffer auf dem Napoleonhügel und baut sich einen Joint. Eine Tüte. Sein albernes Zippofeuerzeug zischt auf, und Koberling kann das süßliche Haschisch riechen. Er denkt an Rose Martenstein. Rose Martenstein, die auf einem Faschingsfest als Königin der Nacht erschien und nach dem Verzehr eines Haschischplätzchens ohnmächtig auf den Küchenboden fiel, eine Puppe in schwarzem Satin. Natürlich hat auch er Haschisch geraucht. Mit Annas Clownsvater beispielsweise. Sie saßen im Garten, rauchten einen Joint nach dem anderen, und Annas Clownsvater schrie: »Swasigras!« und: »Ab ins Swasiland!« bis Koberling vor Lachen vom Stuhl rutschte. Anna schlief im Zimmer unterm Mückennetz, redete im Schlaf, und Koberling wußte nicht, daß zwölf Jahre später sein eigenes, rundschädeliges Kind Max auf die Welt kommen würde. Wie auch. Wie auch hätte er das wissen sollen. Er hatte noch nicht einmal Anna wahrhaben wollen.

Der Kiffer auf dem Napoleonhügel dreht sich um und winkt Koberling mit dem Joint zu. Koberling winkt übertrieben ablehnend zurück, der Kiffer zuckt mit den Schultern und schlendert vom Hügel herunter. Der Glimmpunkt des Joints verschwindet zwischen den Pflaumenbäumen, und Koberling drückt sich unschlüssig an der Küchentür herum. Constanze und Anna sitzen noch immer auf der Veranda, Max auf Constanzes Schoß, den Daumen im Mund. Das Kind hat in den letzten vier Stunden kein Wort mit Koberling gewechselt. Es hat abwechselnd an Anna oder dem Kiffer gehangen und sich so verhalten, als hätte es außer seiner Mutter und Koberling noch keinen anderen Menschen zu Gesicht bekommen. Koberling findet das falsch. Max sollte sich hinter ihm verstecken und ihn fragen, ob diese Gäste – gut seien oder nicht.

Anna erzählt von Polen. Max starrt sie an und atmet von Zeit zu Zeit sehr tief ein und aus. »Daß ihr da noch nicht gewesen seid, wo das so nah ist, das verstehe ich nicht. Störche gibt es, wie in Berlin Tauben. Die Polen haben die Felder gemäht und sechzig, siebzig Störche sind in den Erdfurchen hinter den Traktoren hergelaufen und haben nach Insekten gesucht. Und Eisesser sind diese Polen, du glaubst es nicht. Lody und Lody, wo du hinsiehst, essen sie Eis, ununterbrochen.«

Max nimmt den Daumen aus dem Mund und sagt sehr deutlich: »Eis.« Koberling spürt, wie ihm die Zärtlichkeit den Rücken emporkriecht. Was für ein wirres Gespräch. Und dieses Kind nimmt sich das einzige Wort heraus, das es verstehen kann – Eis.

Anna redet, gestikuliert mit den Händen, streicht sich ständig das Haar hinter die Ohren. »Constanze. Wie geht es euch denn hier.«

Constanzes Stimme ganz dunkel und ein wenig rauh. Gut ginge es. Einsam sei es. Koberling wolle nicht soviel Besuch, ein Rückzug nach den Jahren in der Stadt, ein Sommerrückzug, im Herbst ginge es ja wieder nach Berlin. Lange Tage. Heiße Tage. Koberling viel am Schreibtisch – eine Lüge – und

174

sie selbst auf Spaziergängen durch dieses Oderbruch, schönstes Stück Natur. Gut fürs Kind auch. Kinder gehörten aufs Land. Max sei glücklich, sie selbst sei es auch. Und Koberling? Der tue sich schwer mit dem Glücklichsein, aber dennoch. Constanzes ordnende Hand. Constanze als Ordnende überhaupt. Vier, fünf Sätze, ein Leben wie aus einem Guß, ein Federstrich und keine Fragen mehr. So einfach ist das. Koberling im Schatten der Küchentür schließt die Augen und macht sie wieder auf. Anna ist verstummt. Aus der jetzt vollständigen Dunkelheit ein plötzliches und wie empörtes Quaken der Frösche. Kurzer Moment. Anna zündet sich eine Zigarette an, sagt: »Ja«, beginnt von neuem zu erzählen, die Polengeschichten, die Eisgeschichten, bißchen Befremden in der Stimme. Koberling kann in der Dunkelheit Constanzes Lächeln erahnen. Ihn verwundert die Ruhe, mit der sie dasitzt und sich Annas Geschichten anhört. Ihn verwundert überhaupt das Interesse, das sie den Gästen entgegenbringt, ihre offensichtliche Freude über den Besuch. Beliebig, denkt Koberling. Das muß beliebig sein. Jeder andere könnte hier sitzen, und sie würde genauso zuhören, begierig, froh, mir entkommen zu können, für eine Weile. Es liegt daran, daß wir hier den ganzen Sommer über allein waren. Und das war die Abmachung. Wir wollten allein sein. Ich wollte allein sein.

Koberling geht in die Küche zurück, macht das Licht aus und setzt sich auf Max' Schlafbank ans Fenster. Die Konturen im Garten werden schärfer, Annas rotes Kleid ist dunkel und wirkt schwarz. Koberling sieht sie an und empfindet gar nichts. Sie ist jung, hat das Clownsgesicht ihres Vaters, rund alles, runde Augen, runder Mund. Eine Zahnlücke, die in zehn Jahren asozial aussehen wird. Braune Haare, sehr braune Haut.

Sie wird irgend etwas studieren, denkt Koberling. Publizistik und eine Fremdsprache. Der Kiffer wird in einem Szenelokal hinter der Bar stehen und ansonsten seine Tage zum Teufel jagen. Im Sommer laden sie sich Freunde in alte Autos, fahren an die Märkische Seenplatte, saufen Wein bis zum Umfallen und denken – das, was uns geschieht, geschieht niemandem sonst. Schwachsinn. Alles Schwachsinn. Er reibt sich die Augen und fühlt sich müde. Die Zeiten, in denen er jedermann: »Was denkst du?« und: »Was machst du?« gefragt hat, sind vorbei. Koberling kann sich nicht vorstellen, diese Fragen überhaupt je gestellt zu haben. Widerliche, fast peinvolle Erinnerung an nächtelanges Kneipenhocken, an Idealaustausch, Illusionszertrümmerung, emporgezüchtete Gemeinschaftlichkeit. Verlogen, alles, denkt Koberling. Annas Clownsvater hat immer nur gewartet, bis ich aufgehört habe zu reden, damit er dann anfangen konnte mit seinen Utopien, seinen versponnenen Wirklichkeiten. Und ich genauso. Ich habe gegen ihn angeredet, ich wollte ihn unter den Tisch reden, und eigentlich hätten wir wirklich den Mund halten sollen.

Max rollt sich von Constanzes Schoß herunter, klettert auf die Veranda und bleibt an der Küchentür stehen. »Warum sitzt du im Dunkeln?« Seine Stimme ist ein wenig heiser.

»Im Dunkeln ist gut munkeln«, sagt Koberling. »Komm. Zeit fürs Bett, Zeit für den Schlafdrachen und das ganze andere Zeug.« Er steht auf und hebt Max hoch, das Kind riecht nach Sommer und Landstraßensand. »Versprich mir«, möchte Koberling sagen, »versprich mir, daß...«, aber er sagt es nicht.

»Geht ihr ins Bett?« fragt Constanze von der Veranda aus, ihr Korbstuhl knistert, als sie aufsteht.

»Ja«, antwortet Koberling und beeilt sich, zur Treppe zu kommen, »wir gehen ins Bett.« Max auf seinem Arm ist schon eingeschlafen, Anna ruft: »Gute Nacht, Koberling!«

Als er am Morgen aufwacht, steht sie am Fußende des Bettes und lächelt mit vogelartig schiefgeneigtem Kopf. Durchs Fenster fällt gleißend Sonnenlicht, und eine Fliege stößt gegen die geschlossenen Scheiben. Koberling kneift die Augen zusammen und tastet unter der Decke nach Constanze, die nicht mehr neben ihm liegt. Keine Träume, denkt er erleichtert. Ich habe nicht geträumt, nicht vom Clownsvater und nicht von früher, nicht vom Kiffen und nicht vom Sex.

Anna rüttelt am Bettgestell, daß ihre Haare fliegen. »Koberling! Du Langschläfer! Es ist schon Mittag, die anderen sind alle in die Stadt gefahren, und das Frühstück ist fertig. Du sollst aufstehen und mir das Oderbruch zeigen!«

»Wer sagt das«, fragt Koberling und wird dann plötzlich wütend, Schlaf in den Augen und einen schlechten Geschmack im Mund. Daß Anna hier überhaupt reinkommt, in die Intimität eines Schlafzimmers platzt in Kindermanier, wahrscheinlich vorher durchs Haus geschlichen ist und in Kisten und Kästen geschaut hat mit naiver Neugierde; Koberling richtet sich auf und zieht die Bettdecke über die Brust, »Raus«, sagt er, »raus jetzt. Ich will alleine aufstehen. Ich will meine Ruhe haben.«

Anna läßt das Bettgestell los, hört nicht auf zu lächeln und geht zur Zimmertür. »Ich bin im Garten, wenn du's wissen willst.« Koberling will's nicht wissen und antwortet nicht. Er wartet, bis er ihre Schritte unten in der Küche hört und macht die Augen wieder zu. Liegenbleiben. Einfach liegen-bleiben, im Erschöpfungszustand, in der Schaukel zwischen Wachen und Träumen. Niemals hat er sich am Morgen, nach achtstündigem Schlaf, erfrischt und ausgeruht gefühlt. Immer erschöpft. Früher, in den Nächten in seiner Einzimmer-wohnung, Berlin und Winter, war er eingeschlafen mit ei-nem Grauen vor all den Tagen, Monaten, Jahren, die da noch auf ihn warteten. Eine Zeit. Eine Zeit, die ausgefüllt, besiegt, zunichte gemacht werden mußte. Dann kam Constanze. Ge-meinsame Zweizimmerwohnung, Berlin und Winter. In der Erinnerung immer Winter, Wärme unter der Bettdecke, diese Entscheidung für Constanze, die mit einem Kapitulations-gefühl verbunden war. Constanze, hinter der Koberling sich versteckte und nicht mehr hervorkam. Ein Schutz und eine Resignation. Sie waren nebeneinander eingeschlafen und hatten gesagt: »Flieg langsam.« Die Zeit trat zurück, das Grauen hockte im hintersten Winkel seines Kopfes. Schließlich Lunow, das Haus, die Atemzüge des Kindes, die sich vollständig auflösende Zeit. Und wieder das Grauen, in manchen Nächten, in denen ein Auto vorüberfuhr und einen kreiselnden Jalousienschatten an die Zimmerdecke warf, sogar groß wie nie zuvor. Vielleicht deshalb der Erschöpfungszustand. Weil der Schlaf das Grauen überwinden muß, immer.

Schluß, denkt Koberling. Schluß und aus. Es kann nicht sein, daß da zwei kleine Gestalten aus Berlin angelaufen kommen und mich wirr im Kopf machen. Wirr um was. Er steht auf und öffnet das Fenster, die Fliege zieht in einer geraden Bahn ins Freie und davon. Der Himmel draußen ist hoch gewölbt und blau und ein frischgewebtes Spinnennetz zittert im Fensterrahmen.

In der Küche steht Kaffee auf dem Tisch und steckt ein Ei im Wollmantel. Constanze hat ihm einen Zettel hinterlassen – *Lieber Koberling, bin mit Max und Tom einkaufen, gegen Nachmittag zurück, zeig doch Anna das Oderbruch und sei umarmt.*

Zeig doch Anna das Oderbruch. Eine Zumutung. Koberling betrachtet den kleinen, bienenähnlichen Kringel, den Max unter Constanzes großgeschwungene Schrift gesetzt hat und legt sich die Hand auf den Magen. Er rollt das Ei unentschlossen über die Holzplatte des Tisches, gießt Kaffee in einen Becher und setzt sich auf die Veranda. Anna hockt im Obstgarten, barfuß, und pflückt Himbeeren. Die Mittagshitze steht drückend und schwül, und Koberling sehnt sich schon jetzt nach dem Abend. Der Kaffee ist lauwarm und schmeckt bitter, hinterläßt pelzigen Geschmack auf der Zunge. Koberling schüttet ihn über das Verandageländer ins Blumenbeet und sagt leise: »Für Janis.«

Anna schaut auf, nimmt die Schale in die Hand und kommt auf die Veranda. »Was hast du gesagt?«

Koberling schaut nicht auf, schaut in die leere Kaffeetasse, sagt: »Für Janis. Dein Vater hat's immer gesagt, früher, wenn er Weinreste in den Garten geschüttet hat, für Janis, für Janis Joplin.«

»Ja«, sagt Anna einfach.

Koberling wagt es nicht, aufzuschauen, irgend etwas ist ihm plötzlich entsetzlich peinlich. Er starrt auf Annas Füße, auf ihre dreckigen, kleinen Zehen.

Sie versteckt den linken Fuß hinter dem rechten. Sagt: »Ich dachte, ich bleibe mal hier. Sonst wärst du aufgewacht, und wir wären alle weggewesen.«

Koberling schaut jetzt doch auf, tut geistesabwesend, Anna legt den Kopf schief und lächelt ihn unsicher an. »War's nicht gut, dich zu wecken?«

Was soll man da sagen. Nichts. Anna scheint auch keine Antwort zu erwarten, setzt sich neben ihn, zündet sich eine Zigarette an und inhaliert in tiefen Zügen. »Tom findet es schön hier. Ich auch. Es ist so friedlich, und außerdem ist Altweibersommer.«

Koberling macht ein Geräusch, das zustimmend oder ablehnend gedeutet werden kann. Anna starrt ihn von der

Seite an. Koberling wird unruhig und dreht die leere Tasse in den Händen, er kann spüren, wie Anna sich langsam anspannt.

»Möchtest du mir das Oderbruch zeigen oder nicht? Ich meine, hast du Lust, mit mir spazierenzugehen, oder willst du lieber hier hockenbleiben?« Ihre Stimme wird bei den letzten Worten lauter, fast streng.

Wein ein bißchen, denkt Koberling. Wein ein bißchen, weil du nicht weißt, wie du mit mir umgehen sollst, und dann erinnere ich dich daran, daß ich dir damals eine runtergehauen habe. Er zündet sich ebenfalls eine Zigarette an, steht auf und sagt: »Ja also. Wir können schon ein wenig laufen, wenn du willst.«

Als Koberling das Gartentor hinter sich schließt, hat er das Gefühl, auf unsicheres Gebiet zu kommen. Das Haus, der Garten, die Veranda und vor allem der Napoleonhügel schützen ihn nicht mehr. Mit dem Rücken zur Wand. Anna steht auf der Landstraße, tritt von einem Fuß auf den anderen und sieht fast wieder so aus wie früher, wie das Kind von damals, über die Flußbrücke in den Wald hinein und fort.

Koberling marschiert entschlossenen Schrittes los, Anna eilt neben ihm her, Staub wirbelt zwischen ihren Füßen auf. Die Landstraße wird schmaler. Am Fuß der Hügel ist sie ein kleiner Weg, der sich bergan windet, ins Grün hinauf, zwischen Obstbäumen hindurch. Koberling hat die Hände in den Hosentaschen und starrt geradeaus. Er fühlt sich im

Rücken verspannt und beißt schon wieder die Zähne zusammen. Abgesehen von Anna. Auch abgesehen von Anna hat er die Spaziergänge in das Oderbruch nie gemocht. Constanze schon. Constanze läuft, seit es Lunow für sie gibt, jeden Nachmittag mit Glücksgesicht los und kehrt zurück mit gesteigertem Glücksgesicht. »Die Hügel, Koberling. Manchmal denke ich, es sind die Hügel. Ich finde die beruhigend.«

Koberling findet die Hügel beunruhigend. Ihm ist das alles zu schön, zu verwunschen, Tarkowskilandschaft, geradezu unheimlich. Im letzten Sommer ist er einmal allein in das Oderbruch gegangen. An einem Baum auf einem der hinteren Hügel – er konnte die Oder schon sehen – hing ein Stück Fleisch. Ein großes Stück Fleisch, fast mannsgroß, Rind oder Schwein, gehäutet, blutig, faulig, von Fliegen umschwirrt. Koberling, der den Hügel emporkeuchte, bereit, die Oder zu sehen, zu empfinden, verharrte und fühlte sein Herz stolpern. Das Fleisch hing an einem der oberen Äste, der Strick, an dem es befestigt war, knarzte und drehte sich. Es sah aus wie eine Vision, wie ein Albtraumbild, eine ungeheure und nicht zu verstehende Mitteilung, und Koberling drehte sich um, rannte den Hügel hinunter und schrie. Constanze später, auf der Veranda im Korbstuhl sitzend und nach Veilchen duftend, lachte und sagte: »Du spinnst, Koberling. Das hast du geträumt.«

Als sie einen Tag später zusammen in das Oderbruch gingen, war das Stück Fleisch verschwunden. Nichts mehr. Kein

Strick, keine Fliegen, keine Mitteilung. Sie hatten nicht mehr darüber gesprochen.

Anna kickt Steinchen, hat ihr Lächeln wieder aufgesetzt und pfeift durch die Zahnlücke hindurch. »Du möchtest nicht reden, oder?«

»Nein«, sagt Koberling, »ich möchte nicht reden«, setzt in Gedanken: worüber denn auch hinzu und schaut angestrengt zwischen den Obstbäumen hindurch. Die Vision bleibt aus. Nichts, was er sehen würde und Anna nicht.

»Das ist schon in Ordnung«, sagt Anna. »Ich möchte auch nicht reden. Oft nicht.« Koberling sieht sie mit ironischem Erstaunen an, aber sie ignoriert ihn.

Am Wegrand steht das letzte hohe Korn. Die Bäume haben gelbe Ränder, und am Himmel formiert sich ein Vogelschwarm zum Dreieck. Weit hinten leuchtet die Oder, ein blaues Band von grünen Flußinseln durchbrochen. Die Luft über den Wiesen flimmert, Anna schnauft und dreht sich die Haare zu einem Knoten im Nacken zusammen.

Koberling denkt an den Anfang eines Gedichtes, *Jenseits der Oder, wo die Ebenen weit,* so oder ähnlich, eines der unzähligen Gedichte, die er Annas Clownsvater vorrezitierte, damals, auf diesen aberwitzigen Spaziergängen des Nachts und im Moorland. »Hör dir das an und dieses«, ein hilfloses Rezitieren, Wortehervorbrechen. Koberling läuft hinter Anna her, und das Unvermögen, zu beschreiben, auszudrücken, warum das so erschütternd klingt – jenseits der Oder, wo die Ebenen weit –, nimmt ihm den Atem. »Ich versteh schon«, hatte Annas Clownsvater gesagt, immer wieder: »Ich versteh schon«, aber er konnte nicht verstanden haben, weil Koberling ja selbst nichts begriff. Er möchte Anna an ihrem Haarknoten packen und sie schütteln und schlagen für diesen Selbstbetrug der Jahre, für die Jahre an sich. Er möchte ihr noch einmal eine Ohrfeige geben und sich selbst wiederholen. Die Oder blendet, und die Ebenen fließen zusammen zu einem grünen Meer. Koberling ruft ihren Namen und hört seine Stimme nur ganz entfernt. Anna dreht sich um, ihr rotes Kleid schlägt eine Welle, Koberling schließt die Augen und glaubt zu fallen.

»Koberling? Ist alles in Ordnung?«

»Ja«, sagt Koberling. »Alles in Ordnung. Ich will nur zurückgehen, jetzt.«

Kurz vor Lunow, die Landstraße ist schon zu sehen, und hinter der Biegung wird das Haus auftauchen, berührt Anna seinen Arm. Koberling atmet tief. Die Oder liegt hinter ihm, hinter den Hügeln, entfernte Unruhe, fast schon vergessen. Es wird das letzte Mal gewesen sein, daß er sich ihr ausgeliefert hat. Koberling beschleunigt seinen Schritt, er möchte laufen, rennen, vielleicht auch singen, eine ungeheure Erleichterung breitet sich in ihm aus.

Anna bleibt stehen und sagt: »Koberling. Ich möchte schon gerne wissen, was war, mit meinem Vater und mit dir. Ich meine, ich möchte wissen, warum ihr euch nicht mehr seht, warum der Kontakt abgebrochen ist.«

Koberling bleibt ebenfalls stehen und schaut sie an, sie lächelt und sieht verletzt aus. »Es gibt keinen Grund. Es gibt da keine Geschichte.« Koberling wundert sich, daß er ihr überhaupt antwortet. »Wir hatten ein paar ganz gute Jahre zusammen, dann haben wir uns immer seltener gesehen und irgendwann gar nicht mehr. Vielleicht, daß er Frauen hatte, die ich nicht mochte. Und du bist größer geworden, er hat sich später viel um dich gekümmert. Kleine Streitigkeiten, die wir nicht geklärt haben, irgendwelche Unstimmigkeiten. Wir haben unterschiedlich gelebt, glaube ich. Das ist alles. Keine Dramen, keine einschneidenden Ereignisse.«

Anna dreht sich um und geht den Wiesenweg hinunter auf die Landstraße zu. Sie geht sehr schnell. Koberling läuft ihr hinterher und möchte rufen: »Das Leben ist nicht theatralisch, Anna!«, er weiß nicht, ob sie ihn noch hören kann. Sie rennt.

Am Abend sitzt Koberling mit Constanze auf der Veranda. Anna ist mit dem Kiffer noch einmal in das Oderbruch gegangen, sie haben zusammen gegessen, und Koberling hat drei Gläser Wein getrunken. Er spürt den Alkohol in den Knien und im Bauch. Über den Pflaumenbäumen steht eine Wolke von Mücken, und Constanze bläst Rauchringe in die Luft.

»Ich hoffe, daß Max das niemals macht. Ich hoffe das nicht nur, ich will es einfach nicht«, sagt Koberling, sieht dabei

Constanze nicht an, sieht auf die Pflaumenbäume, ins Gartendunkel hinein.

»Was«, sagt Constanze schläfrig. »Was – niemals macht.«

»Das, was Anna hier gemacht hat«, sagt Koberling und hört einen Trotz in seiner Stimme, gegen den er sich nicht wehren kann. »Das, was sie gemacht hat, indem sie hier aufkreuzt, unerwartet und unter einem Vorwand. Ich möchte nicht, daß Max, wenn er groß ist, mit irgendeiner Schickse im Arm bei Annas Vater auftaucht und sagt – hey Clownsvater!« Koberling hebt die Stimme und äfft Anna nach. »Hey Clownsvater, können wir ein paar Tage bei dir bleiben? Nur ein paar Tage, nichts besonderes, so rumhängen, und dann solltest du mir irgendwann erzählen, weshalb du damals aufgehört hast, mit meinem Vater befreundet zu sein.«

Constanze lacht und dreht sich einen großen Rauchring aus dem Mund. Der Ring gleitet ins Waagerechte und löst sich auf. »Du spinnst, Koberling. Max kennt Annas Vater überhaupt nicht. Wahrscheinlich wirst du ihm auch nichts erzählen. Und wenn Max groß ist, gibt es Annas Vater vielleicht nicht mehr.«

Am nächsten Morgen singen Constanze und Max in der Küche zum aufgedrehten Radio. Koberling erwacht von ihren Stimmen, die sich mit der des Radiomoderators vermischen. Die Sonne drängt durchs Fenster, keine Anna im Zimmer, keine Träume diese Nacht.

Ein Sommertag wie er im Buche steht, denkt Koberling, dröhnt die Treppe hinunter und reißt die Küchentür auf. Max sitzt am Tisch, hat einen eierschmierten Mund und sieht glückselig aus. Constanze steht am Herd, ihr Gesicht ein dunkler Schatten gegen das Sonnenlicht, sie schaut nicht hoch, singt zum Radio, sagt: »Guten Morgen, Koberling.«

»Ja«, sagt Koberling, späht in den Garten hinaus, auf die Veranda, den Napoleonhügel, sagt viel zu schnell: »Wo sind sie denn?«

Der Wasserkessel beginnt zu pfeifen. Constanze dreht das Gas ab, sagt: »Die sind schon losgefahren. Anna wollte noch an irgendeinen See, bevor es richtig heiß wird.«

Koberling geht zum Radio und schaltet es aus. In der Küche wird es still. »Wie? Verstehe ich nicht. Wieso sind die schon losgefahren?«

Constanze gießt heißes Wasser in den Kaffeefilter und zieht ein entnervtes Gesicht. »Die wollten dich nicht schon wieder wecken, Koberling. Deine Gastfreundschaft nicht mißbrauchen, verstehst du. Sie haben uns ihre Adresse in Berlin dagelassen und würden sich freuen, wenn wir sie besuchen, im Herbst.«

Koberling starrt Max an. Max starrt zurück und läßt seinen Eierlöffel langsam auf den Tisch sinken. Koberling spürt ein Ziehen im Magen wie eine ungeheure Kränkung. Er öffnet die Tür zur Veranda und durchstößt mit der linken Hand ein Spinnennetz zwischen den Türbalken. Altweibersommer. Er sagt: »Wenn wir im Herbst nach Berlin zurückgehen, sind die doch bestimmt nicht mehr zusammen«, die einzige, erbärmliche Beleidigung, die ihm einfällt; Constanze antwortet nicht.

Die Autorin dankt

der Autorenwerkstatt Prosa des Literarischen Colloquiums Berlin, der Stiftung Kulturfond, der Akademie der Künste, dem Alfred-Döblin-Haus in Wewelsfleth und insbesondere Katja Lange-Müller, Burkhard Spinnen und Monika Maron für die Unterstützung der Arbeit an diesem Buch.

Judith Hermann
Nichts als Gespenster
Erzählungen
320 Seiten

Von Jonina und Magnus, von Owen und Sikka, von Ruth
und Raoul erzählen Judith Hermanns neue Geschichten,
von Norwegen, Nevada, Prag, Karlsbad und Island. Sie erzählen vom Lieben und Reisen und davon, wie sich Lieben
und Reisen auf wundersame Weise ähnlich sind.
Mit großer literarischer Meisterschaft entfaltet Judith Hermann
den ihr eigenen unwiderstehlicher Sog und mächtigen Zauber
noch intensiver als zuvor.

»Die Geschichten des neuen Buches sind so traumverloren,
traurig, liebesuchend, abschiednehmend, weiterfragend,
zweifelnd, verzweifelt, glücklich neubeginnend schön
wie damals, wie heute. (...) Widerstehen kann man nicht.«
Volker Weidermann,
Frankfurter Allgemeine Sonntagszeitung

»Unaufdringlich und bewundernswert stilsicher
erzeugt Judith Hermann einen Sound,
nach dem man süchtig werden kann.«
Franziska Wolffheim, Brigitte

S. Fischer

fi 1-033181 / 3 / c

Monika Maron
Ach Glück
Roman
224 Seiten. Gebunden

In das endzeitlich gestimmte Leben von Johanna und Achim
Märtin gerät durch einen Zufall ein schwarzer zottiger Hund.
Johanna, der jeder Blick in ihre Zukunft nur noch öde Zeit
offenbart, fragt sich angesichts der unerschöpflichen Freude
und Liebe ihres tierischen Gefährten nach den Quellen ihres
eigenen Glücks, nach Sehnsüchten, Ansprüchen und Ver-
säumnissen. Der nächste Zufall begegnet ihr in Gestalt der
alten russischen Aristokratin Natalia Timofejewna, die in
Mexiko nach ihrer Jugendfreundin, der berühmten und ein
bißchen verrückten Künstlerin Leonora Carrington sucht.
Johanna folgt Natalias Lockruf und fliegt nach Mexiko,
während Achim ratlos durch Berlin streift und zwischen den
vertrauten Plätzen und Ritualen zu verstehen sucht, was Jo-
hannas Aufbruch zu bedeuten hat und warum ein hergelau-
fener Hund ihr gemeinsames Leben infrage stellen konnte.

»Monika Maron erzählt auf melancholisch souveräne,
auf heitere und wehmütige Weise vom Älterwerden
und Ältersein, von der Differenz zwischen Männern
und Frauen, von der Starre der einen und dem Mut
der anderen.«
Manuela Reichart

S. Fischer

fi 1-048820 / 1